NEM ANJOS NEM DEMÔNIOS:
A HUMANA ESCOLHA ENTRE VIRTUDES E VÍCIOS

PAPIRUS ◆ **DEBATES**

A coleção Papirus Debates foi criada em 2003 com o objetivo de trazer a você, leitor, os temas que pautam as discussões de nosso tempo, tanto na esfera individual como na coletiva. Por meio de diálogos propostos, registrados e depois convertidos em texto por nossa equipe, os livros desta coleção apresentam o ponto de vista e as reflexões dos principais pensadores da atualidade no Brasil, em leitura agradável e provocadora.

MARIO SERGIO CORTELLA
MONJA COEN

NEM ANJOS NEM DEMÔNIOS:
A HUMANA ESCOLHA ENTRE VIRTUDES E VÍCIOS

Capa	Fernando Cornacchia
Transcrição	Nestor Tsu
Coordenação e edição	Ana Carolina Freitas
Diagramação	DPG Editora
Revisão	Isabel Petronilha Costa

Dados Internacionais de Catalogação na Publicação (CIP)
(Câmara Brasileira do Livro, SP, Brasil)

Cortella, Mario Sergio, 1954-
Nem anjos nem demônios: A humana escolha entre virtudes e vícios/Mario Sergio Cortella, Monja Coen. – Campinas, SP: Papirus 7 Mares, 2019. – (Coleção Papirus Debates)

ISBN 978-85-9555-022-3

1. Conduta de vida 2. Espiritualidade 3. Filosofia 4. Livre-arbítrio 5. Valores (Ética) 6. Vícios 7. Virtudes 8. Zen-budismo I. Coen, Monja, 1947-. II. Título. III. Série.

19-24126 CDD-179.9

Índices para catálogo sistemático:

1. Prática virtuosa: Filosofia: Tertúlia 179.9
2. Virtudes e vícios: Filosofia: Tertúlia 179.9

Maria Paula C. Riyuzo – Bibliotecária – CRB-8/7639

1ª Edição – 2019
6ª Reimpressão – 2023

Exceto no caso de citações, a grafia deste livro está atualizada segundo o Acordo Ortográfico da Língua Portuguesa adotado no Brasil a partir de 2009.	Proibida a reprodução total ou parcial da obra de acordo com a lei 9.610/98. Editora afiliada à Associação Brasileira dos Direitos Reprográficos (ABDR). DIREITOS RESERVADOS PARA A LÍNGUA PORTUGUESA: © M.R. Cornacchia Editora Ltda. – Papirus 7 Mares R. Barata Ribeiro, 79, sala 316 – CEP 13023-030 – Vila Itapura Fone: (19) 3790-1300 – Campinas – São Paulo – Brasil E-mail: editora@papirus.com.br – www.papirus.com.br

SUMÁRIO

Vícios e virtudes 7

Virtudes para a boa vida 25

Convicção *x* dissimulação 51

Adianta ser bom? 65

Vida é escolha? 85

Todo ser humano tem salvação?.............. 103

Perceber o outro 121

Fazer por merecer....................................... 135

"De cada um de acordo com a sua
capacidade, para cada um de acordo
com a sua necessidade"............................ 151

Ande reto por uma rua curva............................ 163

Apego ao desapego 173

Vida partilhada, vida virtuosa......................... 183

Glossário... 197

N.B. Na edição do texto foram incluídas notas explicativas no rodapé das páginas. Além disso, as palavras em **negrito** integram um **glossário** ao final do livro, com dados complementares sobre as pessoas citadas.

Vícios e virtudes

Mario Sergio Cortella – Monja, é curioso que estejamos aqui, um homem e uma mulher do ponto de vista biológico, para falar sobre virtude, pois essa é uma palavra que, em sua origem latina, está ligada ao mundo masculino. Virtude vem de "*vir*", de "viril", portanto, já de partida, ela seria uma característica dos homens. "*Vir*", no idioma latino, significa aquele que tem potência – para usar um termo de que o **Clóvis de Barros Filho** tanto gosta –, que tem energia, que é valente, bravo. Logo, uma pessoa virtuosa seria aquela que é marcada pela bravura do ato masculino. Na origem, a palavra "virtude" é masculina, como seu significado. Hoje isso seria absurdo, mas supunha-se que a virtude era uma qualidade masculina por excelência. Haja vista que o próprio mundo do século XX, especialmente no cinema, na literatura, coloca as mulheres como menos virtuosas. Se nos lembrarmos das narrativas sobre a introdução do mal no mundo, é sempre o feminino que o faz. Seja Pandora,* para os gregos, seja Eva, para os hebreus, sempre a introdução do vício, isto é, do contraponto da virtude, é feita pelo feminino. E o cinema, as novelas levam isso adiante. Quase toda maldade numa novela, mesmo nos tempos atuais da TV, acontece por causa de uma mulher. Por isso, penso que esse viés machista, que aparece no ponto de partida, é o primeiro movimento com o qual precisamos lidar neste livro. Isto é, a virtude precisa ser entendida como uma qualidade humana e não necessariamente masculina. Lembro do edital de um concurso para policial militar no meu estado, Paraná, que tinha como uma de suas exigências para aprovação a masculinidade. E era um concurso para homens e mulheres!** Ora, além de ser um requisito estranho por si só, é fora de nexo supor que se possa avaliar o que isso significa.

A noção de virtude é uma noção datada na história. Ela não pode ser pensada como algo do nosso tempo. Virtude, no campo da Filosofia, é uma força intrínseca. Ela é uma qualidade, portanto – embora, em nosso idioma, qualidade seja uma palavra muito perigosa. Em português, qualidade é sempre

---

* A primeira mulher que existiu, segundo a mitologia grega, e que, por sua curiosidade, deixou escapar todos os males do mundo. (N.E.)

** Edital publicado em 2018 e retificado logo após a polêmica, com a troca do termo "masculinidade" por "enfrentamento". (N.E.)

positiva. Mas, em sua concepção original latina, qualidade é uma característica possível. Por isso existe "qualidade positiva" e "qualidade negativa". Nesse sentido, a virtude é uma qualidade, assim como o vício, como força intrínseca que está em nós, como algo que nos caracteriza. Entendo que a virtude é a qualidade positiva e o vício, a qualidade negativa. A virtude é uma presença benéfica; já o vício, uma presença maléfica. Portanto, a noção de virtude é aquilo que em nós é uma possibilidade. Se for na direção positiva, é chamada de virtude. Se for para o campo negativo, será chamada de vício. Mas ela, de modo algum, tem a ver só com o masculino no sentido de gênero.

Monja Coen – Gostei de sua fala sobre masculino e feminino, porque a virtude é, em português, uma palavra feminina. No zen-budismo damos grande ênfase à compaixão, também considerada atributo feminino. Só que a compaixão se manifesta tanto no feminino quanto no masculino. Compaixão faz parte da condição humana. Em cada um de nós habitam o masculino e o feminino em proporções um pouco diferentes, o que faz com que sejamos de gêneros diferentes. Mas ambos habitam em nós. Há quem já tenha dito que as manifestações de grande compaixão, acolhida, amorosidade e ternura de **Buda** e de outros grandes mestres seriam seu aspecto feminino, como se o masculino não tivesse a capacidade de desenvolver ternura compassiva. Para mim, isso é discriminação preconceituosa de gênero. Por isso, acho interessante quando você explica a virilidade como bravura. Porque conhecemos muitas mulheres que são valentes, virtuosas, viris nesse sentido.

No budismo, temos a noção de carma, que é importante compreendermos. Carma literalmente significa ação, que provoca outras manifestações. Ação que deixa resíduo, capacidade ou estímulo para que se repita. É uma ação que pode permanecer, tornar-se contínua, sempre provocando outras ações semelhantes, como hábitos ou vícios. Nesse sentido, o carma pode ser neutro, positivo ou negativo. O carma positivo é uma virtude, algo que se faz repetidamente e que cria causas e condições benéficas não só para si próprio, mas para tudo o que está à volta. O negativo é quando se faz alguma coisa que não é benéfica nem para si e nem para o mundo ao redor. O carma neutro é aquele que não é nem benéfico nem maléfico. Entretanto, sempre se refere a uma ação que provocará uma reação semelhante ou igual. Há carma pessoal, carma coletivo. Carma com resposta imediata, carma cujo retorno poderá acontecer em diferentes períodos de tempo. Mas, inevitavelmente, haverá um retorno. Nem tudo é considerado carma. A lei da causalidade – causa, condição e efeito – não é necessariamente a lei do carma. O carma se refere a vícios, hábitos ou mesmo virtudes mantidos repetidamente.

Cortella – O carma é uma tendência. É uma inclinação, no meu entendimento. A Filosofia não trabalha com essa percepção, mas ela a leva em conta, especialmente dentro das filosofias orientais. **Aristóteles**, que é quem mais vem a escrever sobre virtude no mundo antigo, vai insistir em algo que marcou o Ocidente a partir de uma influência oriental. Ele tem uma obra clássica chamada *Ética a Nicômaco*, que escreveu para o filho. (Por curiosidade, Nicômaco era também o nome do pai de Aristóteles.) Nessa obra, Aristóteles traz uma noção que está próxima a algumas religiosidades orientais, de que a virtude está no meio. Ele vai conectar essa ideia à concepção de que a vida se organiza em ato e potência – ato como aquilo que já está realizado e potência como possibilidade. No meu entender, a virtude é exatamente essa possibilidade intrínseca que poderá ou não se realizar, e que, se fizermos a conexão com a ideia de carma, poderá seguir múltiplos caminhos. Um deles é a virtude que se realiza, que se torna real, portanto, que se incorpora. Que seria, no meu entender, a positividade. Outro caminho é a virtude que se ausenta e, portanto, é a negatividade da virtude, a falta dela, isto é, o vício. A virtude seria, então, eficiente, e o vício, deficiente, posto que indica uma ausência. E você indica, Monja, no budismo, uma terceira possibilidade, que é a neutralidade. A Filosofia não coloca isso no mundo ocidental, mas eu queria entender como é no budismo. O que é a neutralidade do carma?

Monja Coen – É uma ação que não é nem benéfica nem maléfica. São hábitos que nós podemos ter. Beber água, por exemplo, não é nem benéfico nem maléfico para nós ou para o mundo.

Cortella – Isso do ponto de vista ético. Ou seja, não se pode fazer um juízo moral sobre isso. Já quando se nega água a alguém ou quando se oferece água a alguém...

Monja Coen – Ou água envenenada a alguém.

Cortella – É interessante que o carma aparece aos gregos antigos de outro modo. Ele se parece mais com a noção de *kairós*. Você sabe, Monja, que os gregos antigos usavam duas noções para falar sobre o nosso tempo de vida: o tempo como medida, que é *cronos*, e o tempo como oportunidade, ocasião, que é *kairós*. Isto é, a nossa vida é a nossa oportunidade. Podemos orientar a nossa vida, que é a nossa oportunidade de ser, para um ser mais pleno, portanto, mais virtuoso, para usar a antiga Filosofia, ou para um ser deficiente do ponto de vista ético e moral, que é aquele que degrada a vida. A virtude seria aquilo que eleva a vida, e o vício, aquilo que degrada a vida. Quando Aristóteles fala em ato e potência, a virtude como potencialidade é sempre uma marca daquilo que podemos fazer. É aquilo que, em português,

> **Nós somos seres capazes de virtudes e de vícios. Somos angelicais e demoníacos.**

chamamos de capacidade. Quando Aristóteles discute isso em *Ética a Nicômaco*, ele diz que a ética é algo que pode ser aprendido e ensinado. Parece estranho, a gente diria, mas é óbvio. Não é tão óbvio na história da Filosofia ocidental. Uma parte da Filosofia, nos começos, imaginava que a ética fosse um atributo natural, isto é, que já se nascia pronto com ela. Logo, uma pessoa nascia boa ou má. Ora, Aristóteles vai dizer que a ética também é hábito, ela também é prática. E ela pode ser ensinada. Portanto, a virtude no meu entender – e nesse quesito eu concordo com Aristóteles – não é o que já nasce pronto em nós; ela é uma possibilidade a ser desenvolvida, tal como o vício. Nós somos seres capazes de virtudes e de vícios. Somos angelicais e demoníacos. Ou, como diria você, o inferno habita ou está em nós.[*]

Monja Coen – E o céu também. O fundador da ordem Soto Shu, a que pertenço, no Japão, **mestre Eihei Dogen**, que viveu no século XIII, de 1200 a 1253, dizia que "nós somos o tempo". O tempo não existe separado de nós.

Cortella – Agostinho, que é um homem que viveu entre os séculos IV e V, tem uma afirmação clássica sobre o tempo. Ele dizia: "O tempo é algo que, quando ninguém me pergunta, eu sei o que é. Quando alguém me pergunta, eu não sei responder". Porque, de fato, o tempo é uma percepção.

---

[*] Referência ao livro de Leandro Karnal e Monja Coen *O inferno somos nós: Do ódio à cultura de paz*. Campinas: Papirus, 2018. (N.E.)

Se alguém me pergunta, eu não consigo responder o que é o tempo. Mas se ninguém me pergunta, eu sei o que ele é e o vivo.

Monja Coen – A nossa vida é o tempo, sempre. A prática, para nós, budistas, é realização. Não existe uma coisa chamada prática que depois vai se tornar outra coisa. Ao praticar a virtude, somos seres virtuosos. No momento em que deixamos de praticá-la, deixamos de ser virtuosos. Portanto, a virtude depende de treinamento, sim. E esse treinamento depende de sinapses neurais, que só acontecem quando há estímulo. Se o estímulo é interrompido, as sinapses param de acontecer. Por isso, a prática deve ser contínua. Temos que praticar, querer, ter a intenção de fazer isso. Mas só a intenção não é suficiente. Porque nós vamos trabalhar no budismo com algo que é a não intenção. É a intenção que vai além da intenção, o não eu. Se existe um "eu" que quer ser virtuoso, a virtude é perdida nesse momento.

Cortella – Por quê?

Monja Coen – Porque entra o "eu": "eu" sou virtuoso, "eu" sou melhor do que o outro.

Cortella – Mas eu posso querer ser. Acredito que toda pessoa virtuosa tenha um interesse nisso. Acho que é impossível a neutralidade da virtuosidade. Isto é, a bondade, a generosidade sempre terá como contraparte a isso o "eu" me sentir bem. Mas esse não é um ato egoísta; é um ato de inteligência. Por que alguém provocaria em si próprio a maldade de se sentir mal? Se podemos nos sentir bem ao fazer com que o outro também se sinta bem, isso duplica em nós a força daquele mérito, daquele ato, não desmerece o fato de querermos ser altruístas. Às vezes me perguntam: "Você acha que o altruísmo é uma forma de egoísmo?". Bom, o egoísta é aquele que quer só para si; já o altruísta é aquele que quer *também* para si. Portanto, acho que toda pessoa virtuosa ou toda prática virtuosa implica que ela se beneficie disso. Mas isso não desmerece o ato virtuoso. A virtude é um ato interessado, sim, mas não é um ato interesseiro. E além de nos sentirmos bem, uma das razões de termos uma prática virtuosa é para que os outros se sintam bem conosco. Nesse sentido, a virtude é também uma medida autoprotetiva.

Monja Coen – Millôr Fernandes tem uma frase boa sobre isso: "O maior altruísta é o maior egoísta". Ele só é feliz se todos ao seu lado também estiverem felizes.

Cortella – Exatamente. Essa é uma ótima maneira de ser egoísta.

Monja Coen – Mas quando se é virtuoso de fato, não se tem essa noção. Podemos ligar isso à ideia de bodisatva, no budismo. O bodisatva é o ser virtuoso, o ser iluminado que renuncia estar entre os budas para estar entre as pessoas comuns, para elevá-las espiritual, filosoficamente. Qual é a função do professor que está dando palestras para pessoas que não acordaram ainda, que não despertaram? Fazê-las despertar de alguma forma. Esse é o bodisatva. Mas, se ele pensar: "Eu sou um bodisatva e vocês são seres inferiores a mim", perderá essa condição de ser iluminado, porque entrará no vício do eu menor. O eu melhor que os outros, o eu separado, o eu diferente de você. Somos diferentes, é claro. Mas pensar: "Eu estou fazendo uma ação benéfica", essa ainda não é a verdadeira sabedoria, pois a sabedoria perfeita está além do eu e do outro, é vazia de identidade fixa ou permanente.

Cortella – Sempre gosto de lembrar que nós somos únicos no universo. Mas não somos o único. Isto é, não existe ninguém como eu no universo, nunca existiu e nem existirá. Eu sou absolutamente inédito. Mas não sou exclusivo. Não há ninguém como eu, mas não sou só eu no mundo. Há outros "eus" com os quais a gente convive. Aliás, esse é o território da prática da virtude. Gostei quando você colocou a ideia de que a prática da virtude não é um pensamento prévio, e sim a realização do nosso próprio modo de vida e de ser. Mas gostei, especialmente, da noção de que não podemos nos colocar, se pretendemos ter a tarefa de ser alguém que partilha a virtude, numa posição acima. Há até uma curiosidade etimológica nisso, porque a palavra "humana" vem de um termo antigo, *humus*, que significa o solo sob nós. Portanto, nós estamos todos no mesmo nível. Ora, naquilo que eu entendo, uma pessoa virtuosa é aquela capaz, sim, de partilhar a prática virtuosa, mas se colocando num patamar de igualdade. E aí me lembrei de algo: há um prefixo antigo que veio do sânscrito e a gente usa em vários idiomas, que é *ma*. Isso veio para nós de vários modos: para o grego, chegou como *ma* de magno, daí magnífico. Depois, como virtude, magnânimo. E daí também magistério, magistrado. *Magister*, no latim, é mestre, de onde vem maestro. Mas o mais curioso é que esse prefixo significa grande, elevado – por isso, Mahatma, aquele que é tão grande que se doa (e por isso é grande). Magistério, magistrado, magnífico, magno é aquilo que eleva. Mas não eleva a si mesmo acima dos outros; isso é soberba. Eleva a si e os outros num movimento. Isso significa que algumas pessoas estariam numa postura ou numa posição mais elevada. No entanto, nós consideramos uma virtude da sabedoria, estando no alto, não se entender assim.

Monja Coen – O mestre ou a mestra são pessoas capazes de uma visão mais ampla. São pessoas que têm uma capacidade de percepção mais abrangente, maior, de si mesmas e dos outros. Elas não se colocam em uma posição piramidal, acima das outras ou de outras formas de vida, apenas desenvolveram, através dos estudos e da prática, a capacidade de observar com clareza e profundidade o que é, assim como é, sem colocar o eu individual como medida de sabedoria. Não se baseiam no eu menor, no pequenininho, no miúdo, que quer poder e reconhecimento. Estão à disposição para orientar quem não vê com clareza o caminho, quem está à procura. São como um guia de turismo. Se alguém quiser subir uma montanha ou entrar em uma floresta ou mata desconhecida precisará de um guia, para não se perder. Hoje temos o GPS para nos guiar nas cidades, nas estradas, nas matas, nos rios, nos mares... Precisamos de um referencial, seja por satélite, inteligência artificial, seja por alguém experiente no assunto. Vejo da mesma maneira a posição dos educadores.

Acho que a função desse magno, desse olhar maior, é a de alguém que já percorreu o caminho e, por isso, pode dizer: "Veja, do lado de cá há um abismo e do lado de lá, um rio". Cada pessoa terá de fazer a sua escolha. O mesmo acontece em relação a virtudes e vícios. Isso não significa que o mestre ou a mestra desenvolveu todos os vícios e/ou todas as virtudes, mas ele ou ela pode apontar as práticas que levam ao desenvolvimento de uma vida virtuosa ou viciosa.

Cortella – Acho que a virtude é partilha, ela não é ascética, exclusiva, fechada. Digo isso com todo o respeito a quem tem a perspectiva do isolamento lá no alto da montanha, porque fui monge no meu passado. Mas penso que a prática da virtude é um pouco aquela trazida à tona por um monge dos cristãos católicos lá dos séculos V e VI, estupendo, que você conhece e estudou: Benedetto di Norcia, **são Bento**. Ao criar uma ordem religiosa que influenciou todo o Ocidente, são Bento deu a ela um lema aproximado a isso que você dizia, que é *ora et labora* – reze e trabalhe. Isto é, tenha reverência à vida, mas aja. Aliás, eu queria perguntar a você: a virtude como posse, e não como partilha, ela é viciosa, não?

Monja Coen – Ela deixa de ser virtude. No *Sutra do diamante*, ensinamento de Buda que revela a sabedoria inquebrantável como um diamante, alguém pergunta a ele se o bodisatva, o ser virtuoso, sabe que é um bodisatva. Buda responde: "Não". Um bodisatva não pode se achar acima de outro ser. Sentir-se semelhante ao outro e procurar meios de elevar o outro é a sua função. O bodisatva é quem se dedica a estimular todos os seres a adentrarem o caminho iluminado, que é o caminho das virtudes, da vida ética, da vida de sabedoria e compaixão ilimitadas. Mesmo que ainda não tenha acessado a sabedoria perfeita, ou tendo a possibilidade de acessá-la e ficar entre os iluminados, entre os budas, seres de sabedoria completa, renuncia a isso a fim de estar entre seres comuns e estimular-lhes a mente à procura da iluminação. Sua função é a partilha, sem que com isso se considere superior a ninguém. Aponta o caminho, mas não pode forçar que ninguém ali adentre. Pode estimular, deve mesmo provocar as pessoas para a procura. Essa é a ideia, para o budismo, de um ser virtuoso, um bodisatva, ou um buda. Buda significa aquele ou aquela que despertou. Buda também faz o voto de libertar todos os seres. Segundo mestre Dogen, budas e bodisatvas se mesclam. Ambos têm a mesma função. A diferença é que alguns bodisatvas podem não ter acessado o estado buda e, mesmo assim, se tornam facilitadores para que outros acessem. Há também os bodisatvas que renunciam estar apenas entre os budas, entre os iluminados, para se dedicar aos que precisam desenvolver a procura pela sabedoria.

Podemos fazer uma comparação com a academia. Há grandes acadêmicos que se dedicam à pesquisa e mantêm contato apenas com outros acadêmicos de nível semelhante. Há os que se dedicam a estimular pessoas comuns à procura do conhecimento. Estes poderiam estar apenas entre seus pares, mas fazem o voto de levar o conhecimento aos que nunca nem mesmo ouviram falar sobre aquilo. Não há melhor ou pior. São escolhas e funções semelhantes, alguns ensinando e outros desenvolvendo aspectos mais herméticos.

No budismo, falamos em três tipos de praticantes: os pratyekabudas, os sravakas e os bodisatvas.

Pratyekabudas são os autodidatas. Estudam sozinhos, desenvolvem certa capacidade de compreensão, mas são incapazes de transmitir ensinamentos, por não terem convivido com outras pessoas, por terem se isolado. Alguém que se isola no topo de uma montanha, fechado numa clausura, pode ter uma experiência mística muito interessante, mas talvez não saiba transmiti-la aos outros. O topo de uma montanha não é necessariamente uma área geográfica, pode ser um aposento. O conhecimento é acessado, mas como a pessoa vive isolada, pode perder a capacidade de ensinar, de transmitir. Provavelmente vive em grande pureza. Essa pessoa tem influência no mundo? Certamente tem. Mas é muito menor do que aquela que se coloca no mundo.

O segundo tipo de praticante é chamado de sravaka, que pode acessar certo grau de desenvolvimento ao apenas ouvir os ensinamentos. Não pratica, é como um intelectual que compreende sem ter a experiência prática. Ou como aquele aluno que só quer ouvir: "Puxa, que lindo, professor! Falou tão bonito, decorei tudo. Mas não sei pôr em prática na minha vida". Ele gosta de ouvir, mas não de praticar. Intelectualmente entende tudo, mas não põe em prática na vida.

O último tipo é o bodisatva, que, para nós, é o ideal da tradição maaiana. (O budismo, na Antiguidade, se dividiu em duas vertentes principais: uma foi chamada de hinaiana – literalmente, pequeno veículo –, com um grupo menor de adeptos, e a outra, de maaiana – literalmente, grande veículo –, com um grupo maior de seguidores. Mais tarde tornou-se pejorativo chamar alguns grupos de praticantes budistas de seguidores de um veículo menor, como se um pensasse pequeno e o outro, grande. Atualmente, falamos de seguidores das tradições dos mais antigos e conservadoras e seguidores das tradições mais progressistas e com maior número de adeptos, que é a maaiana.) É aquele que ouve, estuda, entende, pratica e transmite os ensinamentos. Ele pratica e vivencia o caminho, sempre com orientação, quer seja de uma outra pessoa, quer seja dos ensinamentos. Ele se isola por um tempo para ter uma visão mais clara da realidade, mas depois mergulha no mundo comum para fazer com que todos se elevem. Portanto, ele não só estuda, mas coloca em prática no mundo. E colocar em prática no mundo é transformar o mundo. O bodisatva educa, ensina, transmite, comunica, provoca as mentes humanas à reflexão.

Cortella – Você introduz algo que é muito importante, quando levanta essas várias formas de "budizar" a vida – alguém que se isola, que se comunica ou que apenas ouve –, isso dá uma humanidade a essa percepção que encarna algo que é difícil de entender, como a prática de uma religiosidade como essa que você tem, Monja, que está com o pé no mundo, isto é, que está vinculada a este mundo. **Descartes**, meu filósofo predileto, dizia que o filósofo é alguém que tem pé de chumbo e asas.

Monja Coen – Que bonito!

Cortella – Acho que isso que você fala agora em relação a alguém que é virtuoso é a pessoa que tem o pé de chumbo e asas. Isto é, que está fixada, que está ligada ao mundo onde a virtude é uma prática, mas que tem asas para não se prender tanto a ele. Afinal, sem dar uma dimensão metafísica, ficar grudado em excesso neste mundo impede, inclusive, que se possa vê-lo de maneira mais intensa, que se possa meditar sobre ele, trabalhá-lo.

Monja Coen – Buda falava sobre três mundos: o mundo da forma e do desejo, que é este em que nós vivemos – temos forma física e desejamos comida, sexo etc. –; o mundo da forma, mas sem o desejo – a forma existe, mas os seres se libertaram de todos os apegos e aversões por meio das práticas meditativas –; e existe o mundo sem forma e sem desejo – alguns consideram que seja o mundo das ideias, dos pensamentos, da insubstancialidade. Esses três mundos coexistem simultaneamente, nós os separamos para fins didáticos e podemos nos sentir em um mundo ou outro dependendo do momento da nossa vida.

Há o mundo das nossas ideias, das nossas utopias, dos nossos sonhos, das coisas que acreditamos que possam se realizar. E que são só ideias. Elas não têm nem corpo físico nem desejo, são só pensamentos. Mas esse pensamento se materializa num corpo, num cérebro que pensa. E esse cérebro que pensa tem apegos e aversões. Saber lidar com isso é o que faz a diferença. Não precisamos anular o corpo. Não precisamos anular a sociedade e o mundo e ir viver numa montanha.

Virtudes para a boa vida

Cortella – Eu não quero fazer aqui uma hierarquia das virtudes, mas, na minha opinião, algumas são muito mais relevantes do que outras. Por exemplo, a generosidade está ligada à ideia de nos sentirmos humanos como outros e outras. A própria palavra "generosidade" está ligada a gene. Isto é, somos do mesmo grupo, da mesma genética, da mesma família. Generoso é aquele que está ligado ao mesmo gene. Essa é uma noção que se aproxima da ideia de fraternidade, e elas se identificam em vários momentos. Já a polidez, que inicia o *Pequeno tratado das grandes virtudes*, de **Comte-Sponville**, para mim, é muito mais uma atitude que entra no campo da etiqueta do que no campo da ética. A etiqueta é uma das maneiras de conduzirmos as nossas relações de convivência para que elas sejam mais suaves. É ser educado, o que é diferente de uma relação ética em que a generosidade ocupa um lugar especial como uma virtude. Uma pessoa polida é aquela que não produz arestas – e a Filosofia tem um termo estranho para isso, que é erudito. A pessoa erudita seria aquela que tirou a rudeza, a aspereza. Uma pessoa erudita, portanto, seria aquela que não é rude. É claro que essa é uma concepção classista e, acima de tudo, preconceituosa.

Monja Coen – Logo que entrei no mosteiro, a minha superiora disse: "Não espere que sejamos todas santas aqui. Somos seres humanos. A prática monástica é como colocar pedras dentro de uma jarra, que fechamos e depois sacudimos. Pontas batem com pontas. Pode doer, mas quem primeiro se arredondar não irá mais ferir nem será ferida por ninguém. As pedras perdem as arestas".

Cortella – É o que a gente chama de pedra rolada no rio, que é aquela que, de tanto bater nas outras e a água passar por ela, ficou arredondada. Aliás, como ela é difícil de obter e tem um valor imenso na área de decoração, a pedra rolada é até objeto de proteção ecológica, porque existe um comércio paralelo disso.

Uma pessoa polida, portanto, é aquela que não é rude, que não produz arestas nos outros. Evidentemente, a noção de polidez entra no nosso circuito de atitudes desejadas, mas eu não a colocaria no ponto de uma virtude mais elevada. Acho que ela compõe uma das nossas possibilidades da boa ação, mas é, digamos, secundária em relação a outras que são mais magníficas no meu entender.

Monja Coen – A minha superiora dizia no mosteiro: "O nosso treinamento vai fazer de você uma pessoa que não fere nem é ferida". E esse é um processo bem difícil. Temos a impressão de que somos polidos, gentis, de que temos a capacidade de compreensão e todas as virtudes do mundo. Na convivência de grande intimidade, que é a vida monástica – a qual você também conheceu, Cortella –, sabemos que as arestas são fortes, e não só de nós para o outro, como do outro para nós também. O mais importante nesse processo, para mim, foi um dia perceber como a minha superiora me via. Ela era para nós, no mosteiro, a grande mãe, de quem todas queriam o olhar de aprovação e ternura, de inclusão em seu coração. Tentei entender o olhar que ela tinha em direção a cada uma de nós. A tudo de que reclamávamos, a tudo que fosse diferente do que imaginávamos, idealizávamos ou queríamos, ela sempre respondia: "É você que precisa mudar". "Como assim, eu? Aquela menina está dormindo na aula. Eu vim de tão longe, a palestra é tão importante para mim, e a menina está ali dormindo?" "Isso é tudo o que ela pode manifestar agora. Você, cuide de você. Aparentemente sonolenta, os ensinamentos estão entrando por seus ouvidos, por todo seu corpo." Esse pode parecer um conselho de indiferença em relação ao outro. Entretanto, ao ouvir minha superiora, fui capaz de modificar o meu olhar em relação às outras monjas. Entendi que a minha posição no mosteiro, a minha função era a de desenvolver um olhar menos preocupado com as outras pessoas. Olhar mais para dentro de mim mesma e me reconhecer em cada uma das outras monjas, deixar de querer que fossem diferentes do que eram. Pensei: "Vou observar a mim mesma, para me conhecer em profundidade, e deixarei de me comparar às outras monásticas e de julgá-las". Descobri, então, que, quando cuidamos de nós mesmos e mudamos o nosso olhar, os relacionamentos mudam. O mesmo acontece em relação à polidez, o polir a pedra para que ela fique redonda, sem arestas, sem pontas ameaçadoras, para que não provoque agressividade. Se, por exemplo, começarmos a imitar alguém que fala gentilmente, vamos nos transformando, até chegar o momento em que aquilo deixa de ser uma cópia e se torna o que somos. Por isso acredito que a polidez, a gentileza, entra no campo das virtudes. Mas eu não saberia como categorizá-las.

Cortella – Mas às vezes eu imagino, Monja, que a polidez é mais uma habilidade de convivência do que uma virtude. Por exemplo, um garçom tem que ser polido. Certo? Um porteiro, um vendedor, um professor têm que ser polidos. É uma habilidade do negócio, mesmo que eles ou nós, por dentro, não tenhamos aquilo como convicção.

Monja Coen – Sim, mas a ideia é que chegue a se tornar uma manifestação verdadeira, através da compreensão e do respeito, da acolhida e do afeto. É quando mudamos de papel no mundo. Mudamos nossa atitude perante os outros e a vida.

Cortella – Sim, mas aí você está dizendo de algo que não é dissimulado. Só que existe uma possibilidade da polidez de ser dissimulada. É só observarmos o Parlamento. O parlamentar, em grande medida, é aquele capaz de chamar uma pessoa pela qual não tem nenhuma apreciação, e contra quem está tramando por fora, de Vossa Excelência. O Parlamento traz a noção de lidar com outros por pronomes de tratamento que são elevados, mas que não têm nenhum tipo de concretude. Isto é, eles não são autênticos. Acho que a polidez, quando carregada de autenticidade, portanto, como uma crença de conduta, como uma maneira de ser melhor com nós mesmos e com os outros, aí é uma virtude. Mas quando é só uma habilidade operacional, quando faz parte do negócio...

Monja Coen – Quando é uma maquiagem...

Cortella – ... aí ela é mera ostentação. É uma dissimulação. A polidez pode ser dissimulada como prática. Um bom exemplo disso é o *maître*, o mestre, no restaurante. Quer alguém com mais habilidade de polidez do que o *maître*? O oferecer ajuda, o puxar a cadeira... A grande pergunta é: Se não o pagassem para fazer isso, ele o faria? Se isso não fosse inerente à atividade dele, ele o faria? Pode ser. Pode ser que isso, como você lembrou, já estivesse introjetado nele, e então ele o faz porque o faria em qualquer lugar.

Monja Coen – Em qualquer circunstância... Teria se tornado *maître* por já manifestar essa característica do cuidado respeitoso e amoroso? Ou estaria apenas copiando esse comportamento por um salário? Ou talvez ao copiar, mesmo que pelo salário, tenha se transformado e passado a ser um verdadeiro *maître* bodisatva? Um *maître* iluminado?

Cortella – Eu acho que o que caracteriza uma virtude no sentido de positividade é exercê-la como crença, e não como circunstância. Por isso, acho que a polidez aparece como uma atitude desejável se ela for marcada pela autenticidade. Já a generosidade, a humildade, a honestidade, a autenticidade, a amorosidade, a ideia de afetividade, na minha opinião, isso é virtuoso. A generosidade é aquela que marca mais fortemente a minha condição de virtude. Também a fraternidade – que, para mim, seria até um outro nome para generosidade, embora aquela não seja tão significativa como virtude. A fraternidade é muito mais um princípio de convivência e um princípio de crença. É uma condição que independe de nós. Nós somos irmãos e irmãs, como podemos sê-lo em relação a outros seres vivos, a outras coisas que estão no mundo. Algumas religiões creem que somos, exatamente, irmãos e irmãs – **são Francisco de Assis** dizia "Irmão Sol, Irmã Lua". Mas essa fraternidade seria uma condição que não depende de nós; já a visão fraterna da vida, sim. A noção de fraternidade como categoria não depende de ·nós porque ela é só uma realidade. Mas ver o outro como irmão, isso é generosidade. Isto é, como pessoas, estamos conectados por um mesmo princípio de vida e, por isso, sim, somos todos irmãos. Não porque nascemos humanos, mas porque acolhemos em nós a humanidade do outro, que se assemelha à nossa. **Terêncio** tem uma frase clássica, a preferida de **Marx**, aliás, que lembra algo que talvez seja o mais belo lema que conheço nessa área: "Nada do que é humano me é estranho". Acho que a generosidade é a capacidade de entender isso. Isto é, estamos juntos como humanos. Há uma fronteira, aí, com a compaixão. Mas a compaixão está mais conectada à ideia de viver sofrimentos assemelhados ou até de ter algum tipo de emoção assemelhada. Já a generosidade é um pouco mais impulsionada.

Monja Coen – No zen-budismo há Seis Paramitas ou Seis Perfeições. Paramita significa tanto perfeição quanto chegar à outra margem, ser capaz de atravessar, completar, isto é, aquilo que nos leva da margem da ignorância à margem da sabedoria, da margem do vício à margem da virtude. Se estamos na margem da ignorância, como atravessamos para a margem da sabedoria? E o que nos leva para lá senão a prática de alguma virtude, isto é, de um paramita?

O primeiro paramita é *dana*, doação, caridade, entrega, amor, presença. No budismo, falamos que o maior presente que podemos dar a alguém é a presença absoluta. Mas, ao mesmo tempo, podemos dar coisas materiais, ensinamentos...

Isso é muito forte no budismo maaiana, ao qual pertenço. Para nós, um dos aspectos que nos diferencia – somos várias ordens – das tradições mais ortodoxas é a perfeição da doação. Para o budismo maaiana, a prática essencial é a de doar, entregar, passar adiante. Doar o seu tempo, a sua vida, o seu ouvir. Doar ensinamentos, reflexões, sabedoria.

Cortella – O doar apenas como oferecimento de algo que é externo a nós é menos valoroso, no meu entender, do que o doar-se. E é claro que, quando doamos coisas e o fazemos com convicção, essa doação é componente da generosidade. Uma pessoa generosa é aquela que não recolhe para ela, não se apropria exclusivamente, não guarda; ela é alguém que cuida. Cuida do que tem e pode passar adiante. Eu a vejo, Monja, como uma pessoa muito generosa. E quando dizemos que alguém é generoso, significa que ele não é fechado em si mesmo no que diz respeito a cuidado, atenção, capacidade de partilha. A expressão mais forte de generosidade que conheço aparece numa frase de Jesus de Nazaré que cito no livro que fiz em diálogo com **Frei Betto**, *Sobre a esperança.*[*] Ela está no evangelho de João, capítulo 10, versículo 10 – é fácil de guardar porque é 10:10. Dizem os cristãos que Jesus afirmou: "Quero que tenhais vida e vida em abundância". Ora, a gente sabe o que é vida em abundância. A vida em abundância não é a vida

---

[*]   Campinas: Papirus 7 Mares, 2007. (N.E.)

do excesso, do desperdício, da perda. A vida em abundância é a vida da suficiência. A suficiência não é carência, e sim *bastança*, isto é, aquilo que nos basta. O mais bonito dessa frase de Jesus é o fato de que ela está no plural. A frase não é "que *você* tenha vida e vida em abundância", e sim "quero que *tenhais* vida e vida em abundância". Acho que essa marca que a cristandade traz se junta a Terêncio. A vida que é partilhada é a vida abundante. Já vida guardada, trancada é vida restritiva. A generosidade acontece quando somos capazes de abrir as comportas daquilo que está em nossa posse e de permitir que alcance outras pessoas. Acho que isso é generoso. E acho que também marca um pouco a própria compreensão que tenho do budismo em várias situações. Ele é uma forma de religiosidade em que a generosidade não é nem uma virtude; é uma fonte.

Monja Coen – É algo muito natural. A generosidade deve vir naturalmente. Eu estive no Butão, que é um país budista, e lá se fala em "Felicidade Interna Bruta". Para o rei do Butão* que criou essa ideia, a primeira coisa que se deveria ter era suficiência, exatamente como você colocou, Cortella. Nem excesso, nem falta. Isso era algo que um professor meu sempre escrevia: "Sem excesso e sem falta, a roda do Darma gira". A

---

* Jigme Singye Wangchuck, o quarto rei do Butão, criou esse conceito quando assumiu o trono em 1972, em oposição ao Produto Interno Bruto, entendendo que o progresso de um país deveria ser medido pela felicidade do povo, e não pelas riquezas. (N.E.)

verdade se manifesta quando não se tem nem demais nem de menos. É essa a ideia de ser suficiente. Suficiente para todos.

Cortella – E essa possibilidade da suficiência vem na direção da generosidade como noção não só daquilo que é a nossa capacidade de doação, mas como algo que ainda não foi elevado ao ponto de virtude, mas penso que o será em breve. Trata-se da noção de desapego, que é uma palavra que a gente não usava há uns 20 anos.

Monja Coen – Houve recentemente até mesmo uma propaganda na televisão, lembrando a todos: "Desapega".

Cortella – Exatamente. A noção de desapego ainda não foi elevada ao patamar de virtude, mas ela o será. E acho que essa percepção do desapego, conectada à noção de suficiência e generosidade, é, de fato, uma prática virtuosa.

Monja Coen – Textos antigos budistas insistem que, sem apego e sem aversão, o caminho é fácil. Há um poema do século VI, considerado o primeiro poema zen, do mestre Kanchi Sosan, terceiro ancestral do Darma na China antiga, que diz:

O Caminho Perfeito não conhece dificuldades
Apenas recusa-se a fazer escolhas;
E uma vez livre do ódio e do amor,
Revela-se completamente e sem disfarces.
Um milímetro de diferença,

E o céu e a terra se separam;
Se você deseja vê-lo bem diante de seus olhos,
Não tenha pensamentos fixos nem a favor nem contra.

Definir o que você gosta contra o que você não gosta –
Esta é a doença da mente:
Quando o significado profundo do Caminho não é compreendido
A paz mental é perturbada inutilmente.

O Caminho é perfeito como o vasto espaço,
Nada falta, nada em excesso:
Sem dúvida alguma é ao fazer escolhas
Que sua essência se perde de vista.

Não busque os emaranhados externos,
Não permaneça no vazio interior;
Seja sereno na unidade das coisas,
E o dualismo desaparece por si mesmo.

Ao se esforçar para obter quietude, impedindo o movimento,
A quietude alcançada está sempre em movimento;
Ao se deter no dualismo,
Como é possível realizar a unidade?

E quando a unidade não é completamente compreendida,
Sofre-se perda de duas maneiras:
A negação da realidade é a sua afirmação,
E a afirmação do vazio é a sua negação.

Muitas palavras e intelectualidade –
Quanto mais (delas) temos mais perdidos ficamos;
Então, fora com muitas palavras e intelectualidade,
E não há lugar por onde não passemos livremente.

Quando retornamos à raiz, obtemos o significado;
Quando buscamos objetos externos, perdemos a razão.
No momento em que estamos iluminados internamente,
Vamos além do vazio de um mundo que nos confronta.

As contínuas transformações num mundo vazio que nos confronta
Parecem reais devido à Ignorância:
Não procure buscar a verdade,
Apenas deixe de cultivar opiniões.

Não se detenha no dualismo,
Cuidadosamente evite buscá-lo;
Tão logo você tenha o certo e o errado,
A confusão se manifesta, e a Mente se perde.

O dois existe por causa do Um,
Mas não se apegue nem mesmo a este Um;
Quando a mente não é perturbada,
As dez mil coisas não ofendem.

Não há ofensa, não há dez mil coisas;
Não há perturbação acontecendo, não há mente trabalhando:
O sujeito se aquieta quando o objeto cessa,
O objeto cessa quando o sujeito se aquieta.

O objeto é um objeto para o sujeito,
O sujeito é um sujeito para o objeto:
Saiba que a relatividade dos dois
Repousa, finalmente, no um Vazio.

No um Vazio os dois não se distinguem,
E cada um contém em si as dez mil coisas;
Quando não há discriminação entre isto e aquilo,
Como poderia surgir uma visão unilateral e preconceituosa?

O Grande Caminho é calmo e seu coração é grande,
Para ele, nada é fácil, nada é difícil;
Visões limitadas são indecisas,
Quanto mais apressadas, mais lentas.

O apego nunca é contido dentro de limites,
É certo que seguirá na direção errada;
Abandone-o, e as coisas seguirão seus rumos naturais,
Enquanto a Essência não se afasta nem permanece.

Obedeça à natureza das coisas e estará de acordo com o Caminho,
Calmo e à vontade e livre de perturbações;
Mas quando seus pensamentos estão presos, você se afasta da verdade,
Eles se tornam pesados e tolos, e não são de forma alguma saudáveis.

E quando não são saudáveis, o espírito é perturbado;
Para que serve, então, ser parcial e unilateral?
Se você quer percorrer o caminho do Veículo Uno,
Não seja preconceituoso contra os objetos dos seis sentidos.

Quando você não é preconceituoso contra os objetos dos seis sentidos,
Então você é um com a Iluminação;
Os sábios são não ativos,
Enquanto os ignorantes amarram a si mesmos;
Enquanto no próprio Darma não há individuação,
Ignorantemente eles se apegam a certos objetos.
São suas próprias mentes que criam ilusões –
Essa não é a maior de todas as autocontradições?

O ignorante compartilha a ideia de sossego e desassossego,
O iluminado não tem apegos nem aversões:
Todas as formas de dualismo
São criadas pelos próprios ignorantes.
São como visões e flores pelo ar:
Por que deveríamos nos preocupar em pegá-las?
Ganho e perda, certo e errado –
Fora com eles de uma vez por todas!

Se o olho nunca adormece,
Todos os sonhos por si mesmos cessam:
Se a Mente mantém seu estado absoluto,
As dez mil coisas são Assim Como São.

Quando é desvendado o profundo mistério do Assim Como É,
Subitamente nos esquecemos dos emaranhados externos;
Quando as dez mil coisas são vistas em sua Unicidade,
Retornamos à origem e permanecemos onde sempre estivemos.

Esqueça o porquê das coisas,
E alcançamos o estado além da analogia;
Movimentos cessam e há não movimento,
Quietudes entram em movimento e há não quietude;
Quando o dualismo deixa de existir,
Nem mesmo a Unidade permanece.

O último fim das coisas, onde não podem ir mais adiante
Não é limitado por regras e medidas:
Na Mente em harmonia com o Caminho há o princípio da identidade,
Onde se aquietam todos os esforços;
Dúvidas e indecisões são completamente afastadas,
E a fé correta é fortalecida;
Nada é deixado para trás,
Nada é mantido,
Tudo é vazio, lúcido e autoiluminador;
Não há esforço, não há perda de energia –
Aqui é onde o pensamento nunca atinge,
Aqui é onde a imaginação não consegue mensurar.

No nível superior do verdadeiro Assim Como É
Não há nem "eu" nem "outro":
Quando a identificação direta é buscada,
Nós apenas dizemos "Não dois".

Ao ser "não dois" tudo é o mesmo,
Tudo o que nele está compreendido;

Os sábios nas dez direções,
Todos entram nesta Razão Absoluta.

Esta Razão Absoluta está além da rapidez do tempo e da extensão
do espaço,
Para ela, um instante são dez mil anos;
Quer vejamos ou não,
Manifesta-se em toda parte nas dez direções.

Coisas infinitamente pequenas são tão grandes quanto as coisas
grandes podem ser,
Pois aqui condições externas não existem;
Coisas infinitamente grandes são tão pequenas quanto as coisas
pequenas podem ser,
Pois aqui não há consideração por limites objetivos.

O que é, é o mesmo do que não é,
O que não é, é o mesmo do que é:
Quando este estado de coisas deixa de existir,
Realmente, nada permanece.

Um em Tudo,
Tudo em Um –
Se apenas isto é realizado,
Nenhuma preocupação sobre você não ser perfeito!

Quando a Mente e cada mente de crença não são divididas,
E cada mente de crença e a Mente são indivisíveis,

É onde as palavras falham;
Porque não é do passado, do presente ou do futuro. [*]

Cortella – Há algumas décadas, a noção de desapego não existia dessa maneira. Ela aparecia, mas assim: "Ele é desapegado materialmente, não liga para as coisas do mundo", quase que retomando *A cidade de Deus*, de Agostinho. Mas não é essa a questão, agora. A noção de desapego, hoje, é muito mais uma percepção de uma vida simples, em que não estejamos amarrados, atados, acorrentados a coisas, propriedades, posses, inteligências. Para mim, uma pessoa desapegada é extremamente generosa. Acho que ser desapegado é um componente da generosidade, e não apenas como doação. Não se trata de ter dez pares de sapato e doar oito deles. Não é apenas a ideia que os cristãos atribuem a Jesus de: "Quer ser rico? Doe tudo que você tem e venha comigo. Aí você vai entender o que é riqueza". Mas é mesmo a convicção.

Monja Coen – O segundo paramita, ou a segunda perfeição, é *sila* – os preceitos, a conduta correta, não fazer o mal, fazer o bem, fazer o bem a todos os seres. Isso parece repetitivo, mas há uma diferença: podemos fazer o bem para nós mesmos e para nossos amigos e podemos fazer o bem a todos os seres. Portanto, esse já é um outro patamar. Em

---

[*] Tradução de André Spinola e Castro. (N.E.)

seguida há os *dez preceitos graves*, que são muito parecidos com os mandamentos cristãos: não matar; não roubar; não abusar da sexualidade; não mentir; não negociar intoxicantes. Esses são os cinco principais. Os outros são: não falar dos erros e das faltas alheias...

Cortella – Então não pode ser professor, nem psicanalista, nem *coach*!

Monja Coen – Não pode... [*Risos*]

Cortella – Os hebreus, depois os cristãos e mais tarde os islâmicos adotaram como uma de suas condutas não fazer falso testemunho, isto é, não fazer fofoca, não disseminar o boato, aquilo que agora, em português, se chama *fake news* [*risos*], que é a notícia falsa sobre alguém, sobre alguma coisa. E estamos falando de algo que foi produzido no século XIII a.C. Para os hebreus e para os cristãos, é um mandamento. Para os islâmicos, uma de suas suras.[*] Eu, como professor, não posso fazer falso testemunho, mas tenho a tarefa de avaliação, assim como um médico, por exemplo. Assim como alguém que produz um alimento precisa experimentá-lo, prová-lo... E toda prova, como diz o professor **Alípio Casali**, sempre tem perigo. "Peri" significa provar, de onde vem "aperitivo" ou "experimentar". Perigo, portanto, é aquilo que se prova. Alguém que passa por

---

[*] Capítulo ou seção do *Alcorão*. (N.E.)

todas as provas experimenta a vida. Dela, não sai ileso, mas sai íntegro. Acho que essa é uma pessoa virtuosa.

Monja Coen – A minha superiora usava a analogia de uma rosa para exemplificar dois diferentes olhares possíveis à vida. Por exemplo, uma pessoa, ao observar uma rosa, poderia comentar: "É linda, mas tem muitos espinhos...". Outra poderia dizer: "Tem espinhos, mas como é linda!". A diferença entre os olhares é sutil. A visão é quase a mesma. Há quem pense ser o mesmo olhar: duas pessoas veem a rosa e veem seus espinhos. Entretanto, a primeira pessoa dá mais importância aos espinhos e a segunda enfatiza a beleza da rosa. Como fazemos nós?

O preceito de não falar dos erros e das faltas alheias é mantido quando não nos limitamos a observar apenas as falhas, as faltas, as imperfeições nos outros e no mundo, mas quando nos tornamos capazes de dar ênfase às qualidades, o que há de benéfico também. De ver a beleza, além dos espinhos.

Cortella – Uma das coisas mais difíceis que afeta o humor como virtude é ter a vida como uma oração adversativa: mas, todavia, porém, contudo... Acho que a oração verdadeira – e estou usando oração no duplo sentido da palavra –, que honra a vida, não pode ser adversativa. Ela não pode ser "mas, porém, todavia, contudo"... Todas as vezes que alguém inicia uma sentença subordinada por um "mas", prepare-se... Ou: "Olhe, fraternalmente, eu queria dizer...". Acho que a oração adversativa é importante quando se tem a tarefa de corrigir, quando aquilo é uma obrigação, inclusive, de natureza do dever. Mas, quando não o é, ela é absolutamente reclamante. É o resmungo. Como diria são Bento: "É proibido murmurar ou resmungar".

Monja Coen – É proibido até mesmo o murmúrio correto – adoro isso! Um dos vícios que temos é o de criticar, o de falar incessantemente que a sociedade, as pessoas, o mundo, tudo o que está acontecendo é perverso e mal. Buda dizia: "O meu mundo não é perverso. As pessoas que veem um mundo perverso e mal estão pervertidas". Por exemplo, há coisas muito interessantes sendo realizadas em Israel, na Palestina, como corais formados por jovens judeus, muçulmanos e cristãos, corais pela paz e pela fraternidade entre os povos em conflito, mas com muito pouca visibilidade na mídia. É claro que há muitos crimes no mundo todo, mas há muita coisa boa acontecendo em toda parte também. Quando se comenta, por exemplo, sobre alguns padres, costuma-se falar da pedofilia na Igreja católica. Mas, recebi outro dia um texto maravilhoso contando coisas extraordinárias que alguns padres na África estão fazendo. Isso é raro. O que os religiosos e as religiosas têm feito de bem ao mundo não é muito divulgado.

Cortella – A minha mãe é uma senhora católica de 90 anos de idade, firmíssima. Ela frequenta a Paróquia de Santa Teresinha em São Paulo e diz que a gente beija a pedra por causa do santo. Ora, ninguém beija a pedra por causa da pedra.

Ela é só uma parte daquilo que é necessário para a fé. É claro que, com isso, minha mãe não está dizendo que aceita o desvio e a degeneração daquilo que não deve. O desvio para o caminho vicioso, seja em que grupo for, em que religião for, se dá por escolha de quem o faz, não por escolha de quem está à volta.

Monja Coen – Assim é. Fazemos nossos votos. Há quem seja capaz de os manter, há quem se esforce para isso e há quem não consiga nem mesmo compreender seu sentido.

Além dos seis preceitos anteriores, há outros quatro que também são comuns a todas as ordens budistas. Um deles pode ser subdividido em três aspectos: não se elevar e rebaixar os outros, não se rebaixar e elevar os outros e nem se igualar aos outros – cada um de nós é único. Os seguintes são: não ser movido pela ganância; não ser controlado pela raiva – não é não sentir raiva, porque o que sentimos não podemos fingir não sentir, não podemos mascarar, mas não podemos deixar que a raiva nos controle –; e não ofender os três tesouros: Buda, Darma e Sanga – Buda é o ser iluminado, Darma é a verdade, a realização da verdade, e Sanga são as pessoas que seguem o Darma de Buda, que o praticam, o estudam e, através do esforço correto, se tornam exemplos e facilitadores à prática do caminho.

A prática do caminho está diretamente ligada aos paramitas. Mencionei anteriormente dois deles: doação e preceitos, vida ética. O terceiro paramita é *ksanthi* – paciência, tolerância. Meu professor nos Estados Unidos, o monge que foi meu orientador, Koun Taizan Maezumi Roshi, repetia incansavelmente: "Seja paciente. Seja paciente". Eis uma qualidade importante. Com a paciência, surge a capacidade da tolerância, capacidade de compreender outros seres e outras formar de pensar, maneiras variadas de ser no mundo.

O quarto paramita é *virya* – energia ou esforço correto, o que talvez possa ser chamado de "fortaleza" nas virtudes cristãs. É não desistir, dar continuidade a um esforço correto, adequado, que leve para a sabedoria perfeita e a compaixão ilimitada. Não é apenas esforço de atingir metas financeiras ou físicas – estas podem estar incluídas quando são para o bem de todos os seres, que é o princípio do terceiro preceito de ouro. (Veja como os paramitas são intimamente entrelaçados uns aos outros.)

O quinto paramita é *dhyana* ou zen, que é a meditação. *Dhyana*, em sânscrito, se tornou zen em japonês. Os chineses diziam *jhana* ou *ch'an* e criaram um caractere para isso, que os japoneses leem como zen. O zen ou o meditar é um paramita, uma perfeição a ser adquirida, como uma virtude, um treinamento contínuo, algo a ser aprendido e praticado, facilitando a travessia da margem do desconhecimento, da ignorância, da margem dos sofrimentos, das angústias, para a margem da sabedoria, da completude, da satisfação e do contentamento com a existência.

O sexto paramita é *prajna* – sabedoria. Embora *prajna* esteja na lista dos paramitas em último lugar, não é o último paramita. É a etapa mais elevada a ser atingida. A base dos ensinamentos budistas é composta de sabedoria e compaixão. Algumas ordens do budismo do sul da Ásia falam em amor e compaixão. No zen, a palavra amor não é enfatizada; sabedoria, sim. Sem sabedoria nada pode ser verdadeiramente obtido.

Cortella – Mas existe uma hierarquia?

Monja Coen – Não exatamente. Cada paramita interdepende do outro. Em cada um deles, os outros cinco estão contidos. Respeitar e desenvolver *prajnaparamita* – a sabedoria completa – é o portal para o grande despertar. Mas a própria sabedoria perfeita está inter-relacionada à vida ética, à generosidade e a tudo o mais. Sabedoria sem compaixão, sem ação adequada para o bem de todos os seres não é a verdadeira sabedoria. É como se fosse uma roda, um círculo onde cada hélice está em dependência das outras cinco. Quem acessa a sabedoria é caridoso, vive de forma ética, é paciente, tolerante, esforça-se corretamente, medita. Quem medita acessa a

> **Sabedoria sem compaixão, sem ação adequada para o bem de todos os seres não é a verdadeira sabedoria.**

sabedoria, vive de forma ética e assim por diante. Quem vive os preceitos, os princípios éticos, cuida, se comove, doa, se esforça, medita antes de agir e age com sabedoria. Estão todos inter-relacionados sem que um seja superior ao outro ou melhor que ele. São expressões do despertar da mente buda.

Cortella – Parte do Ocidente coloca entre as virtudes uma hierarquia. Isto é, há uma série de virtudes desejáveis na conduta, mas há aquelas que são chamadas de cardeais, da noção mesmo de cardos, de feixe, daquilo que dá a direção, que indica o caminho. São elas a justiça, a fortaleza, a prudência e a temperança. Outra ideia é a de virtudes teologais – fé, esperança e amorosidade ou caridade – e assim por diante. Seja no cristianismo, seja no judaísmo, isso aparece com força. Quando se fala em virtudes cardeais ou virtudes teologais, normalmente significa que há uma hierarquização. Isso vale para os pecados também, para os vícios. Por exemplo, a noção dos pecados capitais, ordenada como sete apenas no final do século XIII. Mas até o mundo do que a gente denomina Baixa Idade Média, que é o final da Idade Média, não eram relevantes como sete; havia um único, que era o grande pecado, o grande vício que, em latim, era chamado de acídia. Em português, a gente traduz como preguiça. O maior pecado, o maior vício era a preguiça. Mas não a preguiça daquele que não quer trabalhar apenas, não a ideia de vagabundagem, e sim a preguiça em buscar a "salvação" da alma, a perfeição do espírito, a preguiça em viver a sua fé com plenitude. Isto é, aquele que não tinha energia suficiente e, tendo, não a desenvolvia para ser bom, para ser correto. É uma noção diferente de preguiça.

Monja Coen – No budismo há três eras: a do budismo verdadeiro, a da cópia e a do budismo degenerado. Na época de mestre Eihei Dogen, século XIII, ele dizia: "Estamos na era do budismo degenerado", que, em japonês, é chamado de mapô. Nós rezamos todas as manhãs para que mapô volte a ser shôbô – o correto Darma. Quer dizer, nós podemos fazer com que o mundo degradado, de valores depravados, volte a ser – ou venha a ser, se regenere, porque nada volta a ser, mas pode se tornar – o correto.

Cortella – E por que a depravação? Qual é a origem dela?

Monja Coen – A ignorância.

Cortella – Mas a ignorância nesse entender, nessa perspectiva, é uma condição ou uma escolha? Isto é, a pessoa que é ignorante – estou pensando pela Filosofia também – é inocente ou é alguém que vitimou a si mesma?

Monja Coen – Ela é preguiçosa...

Cortella – Isso, é aquela que não procura o conhecimento. Aquela que sabe que existe a sabedoria, a virtude, a prática da vida boa e prefere o caminho mais fácil.

Monja Coen – Há algumas que sabem e outras que não, por isso, a importância do professor, da professora, de uma orientação, para quem não sabe que há outra margem, outra maneira de ser no mundo. Lembro-me da frase: "A vida é um vale de lágrimas", que minha avó tanto repetia.

Cortella – Isso está numa oração dos católicos, "Salve Rainha": "Salve Rainha, Mãe de Misericórdia, vida, doçura e esperança nossa, salve". Olhe que frase bonita: "A vós bradamos, os degredados, filhos de Eva". Isto é, nós somos degredados do paraíso, portanto, já estivemos num lugar de perfeição da vida com o qual rompemos. "A vós suspiramos, gemendo e chorando neste vale de lágrimas."

Convicção *x* dissimulação

Cortella – O que marca uma virtude de fato e não apenas um comportamento esperado, algo que é dissimulado, é a convicção. Eu estou convicto de que ser generoso é correto. E isso me torna melhor porque torna melhor a minha ação, a minha vida e a dos outros. Do contrário, voltamos à polidez, que não necessariamente é sincera. Certa vez, eu disse num programa de rádio que só os antipáticos são sinceros. Isso gerou uma encrenca boa, mas penso que, de um simpático, de uma pessoa polida, às vezes devemos desconfiar. Já uma pessoa mal-educada é absolutamente sincera. E aí a gente cai numa armadilha lógica: Quem é mais virtuoso? O antipático que é mal-educado e sinceramente grosseiro, rude? Ou aquele que dissimula a virtude? A virtude dissimulada não é virtuosa. Ela é uma dissimulação, um desvio de conduta.

Monja Coen – Nada dissimulado é bom. Mas, vejamos, o antipático pode estar se manifestando assim para ser notado, para chamar a atenção sobre si mesmo e, com isso, pode também estar se dissimulando.

Algo que achei fascinante quando estive no Japão é que as pessoas são muito gentis, educadas, mas, por trás, podem estar querendo acabar umas com as outras. É aquilo que você falou do Parlamento. Os japoneses são educados para não demonstrar o que estão sentindo. Isso se chama, em japonês, *tatemae*. Desde criancinhas, são orientados a não demonstrar na face, nos gestos, o que estão sentindo. Quando estive lá, um dos abades superiores, já com mais de 80 anos, falou aos monásticos: "Parem com *tatemae*. Isso não é correto. Vocês precisam demonstrar o que sentem. E o que vocês sentem deve ser verdadeiro, tanto na frente da pessoa ou do público quanto por trás, quando ninguém estiver vendo".

Será que o nosso lado avesso é tão bonito, tão bem-feito, quanto o lado direito, o lado que está exposto a todos – como exigia a nossa superiora no mosteiro? Como somos quando ninguém está nos vendo? Não é a polidez social, a doação exibicionista, "veja como sou politicamente correto, estou dando as minhas coisas, não sou apegado". Será que lá dentro, onde ninguém vê, onde ninguém sabe, onde apenas nós realmente sabemos e vemos, somos verdadeiros? Se não formos, nós saberemos, e quando sabemos, o mundo sabe.

Essa veracidade da gentileza, da polidez depende da percepção de que somos um só corpo, uma só vida com tudo o que existe. Quando mendigamos e recebemos doações, esmolas, seja o que for, dizemos um poema que se traduziria mais ou menos assim: "O que é dado, o que é recebido, quem doa e quem recebe são interdependentes e um não existe sem o outro".

Cortella – Uma das coisas que mais me espantaram no Japão foi que, por eu ser estrangeiro e por ser um *sensei*, um professor, portanto alguém cuja profissão é colocada acima, até na hora de dizer não, as pessoas faziam com a cabeça um sim. Demorei algumas semanas para entender que, lá, a polidez exige que, ao dizer não, se faça sim com a cabeça, para que o outro não fique chocado. É a mesma emoção não transmitida, não transparente ou uma certa neutralidade da ação que vi também no teatro cabúqui.[*] Primeiro porque é um teatro com homens, ou seja, com aqueles que seriam marcados pela virilidade e virtude, fazendo todos os papéis, tanto os masculinos quanto os femininos. Segundo porque, apesar de magnífico, é um teatro que tem como marca a máscara, a maquiagem exacerbada, nada transparente. A expressão se dá quando o ator fixa um momento em que o rosto não tem rosto. Ele é um rosto que pode ser ira, pode ser afeto... Portanto, essa situação quase anódina como relação de expressão estética, essa gentileza que aparece na conduta nipônica, embora hoje menos do que em tempos anteriores – a minha primeira experiência no Japão foi em 1984, então já faz tempo –, é muito curiosa. Existe, sim, bastante polidez, mas não necessariamente generosidade.

Monja Coen – Clóvis de Barros Filho escreveu um livro sobre isso, *Shinsetsu: O poder da gentileza*.[**] Ele reconta um episódio ocorrido dentro de um avião, quando um jovem japonês, sentado no banco bem à sua frente, virou-se e lhe

---

[*] Tradicional forma de teatro japonesa. (N.E.)
[**] São Paulo: Planeta, 2018. (N.E.)

perguntou: "Posso pôr o encosto mais para trás? Eu não vou incomodá-lo?". Professor Clóvis, surpreso, disse que sim, que o jovem poderia afastar o encosto. O jovem perguntou novamente se realmente não haveria incômodo.

Viajando tanto em aviões lotados, essa é uma pergunta raramente feita. Isso é polidez. E os japoneses são treinados ou melhor, educados, a uma vida comunitária participativa desde a tenra infância. Eles aprendem desde criancinhas a limpar a escola, ajudar nas atividades da casa, a cuidar do outro e da comunidade, porque são muitas pessoas vivendo num espaço bastante reduzido.

Cortella – E existe nisso uma coisa dificílima de lidar. Esse mesmo povo que faz coisas magníficas como limpar o estádio após uma partida de futebol, manter a escola em ordem, ser polido, colocar uma máscara quando gripado para não contaminar outras pessoas, foi capaz de coisas horrorosas no campo da ocupação, da dominação. Como fizeram com os chineses e os coreanos.

Monja Coen – E são capazes da discriminação preconceituosa.

Cortella – Sim, em relação ao não asiático, ao não nipônico...

Monja Coen – Não só. Mesmo entre eles existe discriminação. É algo bem grave.

Cortella – Isso vale para nós. Porque o mesmo povo que acolhe, que abraça, que afaga é aquele que descarta. Li outro dia uma notícia muito curiosa. Há uma presença massiva de brasileiros em Portugal. Quem quer escapar um pouco da brutalidade do cotidiano no Brasil e dispõe de recursos vai morar em Portugal. O governo português, inclusive, abriu privilégios para os estrangeiros. Pode-se obter a cidadania portuguesa desde que se faça um investimento acima de 500 mil euros. Se alguém comprar uma casa no centro antigo de Lisboa, que é patrimônio histórico, então já ganha o direito de cidadania. Vários imóveis estão sendo construídos por conta disso, e Portugal, pela primeira vez, tem elevador de serviço – que, obviamente, não é só para carregar carga. Para a indústria imobiliária portuguesa, isso é inédito. Quem já viveu na Europa sabe que lá raramente há elevador de serviço. É possível encontrar do lado de fora de alguns prédios um elevador de carga, mas não um elevador de serviço, cujo nome é um eufemismo. Porque é claro que ele não é um elevador *de* serviço, e sim um elevador para pessoas que estão *a* serviço e, portanto, seriam secundárias. Ora, por que eu conto isso? Porque uma nação, como a brasileira, que no dia a dia tem toda uma formação para a hospitalidade...

Monja Coen – ... para a inclusão, para a não discriminação...

Cortella – ... é capaz de ter hábitos que são, digamos, pouco virtuosos. Mas, volto àquele ponto em que eu indicava a generosidade como uma convicção de irmandade – e, portanto, como exercício da fraternidade, e não apenas crença nesta – e a polidez como dissimulação. Você, Monja, ficou no Japão mais tempo do que eu, mas me lembro que, na Universidade Toyo, não havia como um homem entrar num elevador depois de uma mulher. Todas as vezes em que eu parava na porta de um elevador – isso numa universidade, que seria, em tese, um lugar com outra condição – tinha que entrar primeiro. Do ponto de vista do politicamente correto hoje, até se poderia dizer que as mulheres estavam certas. Afinal, "que história é essa de deixar a mulher entrar na frente, e a igualdade?". Mas não era esse o ponto ali; era questão de polidez, de convivência. Eu parava na porta do elevador e dizia "*dozo, dozo*"[*] e nada. Houve uma única vez em que uma professora – que eu não conhecia, mas sabia que era professora – olhou para um lado, olhou para o outro e entrou. E entrou com ar triunfante!

Monja Coen – Já que ninguém estava vendo... Que maravilha!

Cortella – Fiquei imaginando o quanto essa transgressão da parte dela numa cultura naquele momento, há mais de 30 anos, era extremamente limitada nesse modo de convivência, que colocava como polidez algo que eu não tinha como

---

[*] Saudação de cordialidade em japonês. (N.E.)

convicção. Polido, para mim, seria a mulher entrar no elevador na minha frente. Outro dia, a Cláudia, minha esposa, dizia o quanto uma parte hoje da nova geração, que é magnífica, expressiva, brilhante, é também mal-educada num ponto: durante muito tempo, dava-se passagem para alguém que fosse mais idoso. Hoje, parte da juventude entra desabalada no elevador, no ônibus, sobe a escada rolante atropelando os outros... Ou seja, um dos valores que existiam, o respeito aos mais idosos – em tese, deveria ser respeito a qualquer um, não só aos mais idosos –, foi saindo um pouco de cena.

Monja Coen – A minha mãe chamava seus pais de "senhor" e de "senhora", mas nos ensinou a chamá-los de "você". Esse chamar de "você" nunca foi desrespeitoso, pelo contrário, é amoroso. Você mencionou o elevador, o sentimento de entrar primeiro. Há algumas décadas, por exemplo, quando uma pessoa mais velha chegava, os jovens eram educados a se levantar para ela e a cumprimentá-la. Hoje, isso caiu em desuso. Os jovens podem estar sentados com as pernas para cima, e continuam assim. Se dizem "oi", já é bom sinal, porque às vezes ignoram completamente os visitantes. Essa mudança aconteceu quando uma geração considerou adequado democratizar, tratar todos da mesma maneira, humanos no mesmo nível, independentemente da idade ou da posição social. A equidade entre todos é algo benéfico. Mas equidade não é igualdade, e acredito que muitos confundem essas duas noções. Cada pessoa é única e tem necessidades diferentes em cada momento, embora o valor equitativo seja o mesmo. Quando criança, estudei no Instituto de Educação Caetano de Campos, um colégio enorme. Era na Praça da República, onde hoje é a Secretaria da Educação. O professor ou a professora entrava na sala e todos nos levantávamos. Fazia parte do sistema educacional da época. Atualmente, o professor ou a professora entra na sala de aula e há quem continue a conversar.

Cortella – Acho que a disseminação de direitos, isto é, de colocação de igualdade, não foi balizada ainda por um movimento de equilíbrio. Passou-se de uma circunstância em que a pessoa com menos idade, com menos recurso, com menos autoridade, com menos escolaridade tinha que ter uma relação de submissão àquela com outra condição para um polo em que, corretamente, se defende a equidade. Mas, em nome dessa equidade, nós retiramos algumas condutas de convivência que estão ligadas ao mundo da boa educação, da polidez – embora, acima de tudo, também tenhamos retirado a capacidade de constranger uma criança a se levantar apenas porque alguém com mais idade do que ela chegou. Levantar para dar o lugar é uma questão de gentileza e generosidade. Mas levantar porque se é obrigado a isso não é uma convicção interna; ela é um ato obrigatório. Você aqui em São Paulo e eu primeiro em Londrina nos levantávamos para o professor porque tínhamos que fazer isso. Não levantar era uma das maneiras de produzir infração. Ora, eu não sou avesso a essas condutas de etiqueta que fazem com que a gente tenha modos de gentileza. O que eu não gosto é da obrigatoriedade que elas colocam. Por exemplo, eu também chamava e ainda chamo minha mãe de senhora. Isso não altera nada para mim. Nenhum dos meus filhos me chama de senhor, e isso também não tem importância, não muda nada. O que muda é a capacidade de respeito. Vou dar um exemplo concreto: alguns pais e algumas mães tentaram anular a fronteira com os filhos, vestindo-se como eles, frequentando as mesmas baladas, usando a mesma linguagem, num retorno desesperado à juventude. Essa hebilatria, esse desespero pela juventude fez com que as fronteiras se anulassem. Portanto, não foi o jovem que tentou se parecer com o adulto; foi o adulto que não quis perder a juventude. Agora, tenho percebido algo diferente. Os jovens que se aproximam de mim, numa fila de autógrafos, por exemplo, muitas vezes o fazem com reverência. Mas, veja, essa não é uma relação submissa; ela é reverente.

Monja Coen – Sim, mas você criou essa condição. O que você faz e o que representa é alguém para quem nos reverenciamos. A sua trajetória provoca isso. Eu também não sou ignorada ou discriminada pelos jovens. Muito ao contrário. Mas tenho recebido professoras e professores, principalmente da rede pública, mas também das escolas privadas e caras, que ficam desconcertados com o comportamento desrespeitoso de adolescentes – e mesmo crianças – com seus educadores. Alguns professores geram respeito, outros não? A atitude de respeito forçada deveria ser estimulada? Ou não?

Cortella – Mas essa atitude é voluntária da parte dos jovens. Portanto, eles são capazes dessa reverência. E essa reverência é para quem eles respeitam ou admiram. Por exemplo, eu me levantava para a dona Mercedes, que foi a professora que me alfabetizou quando eu tinha de seis para sete anos em Londrina, porque ela trazia coisas boas para mim. Já para a dona Célia, que era a professora de biologia, eu me levantava porque senão ela batia na gente com um esquadro de madeira. Ora, eu lembro muito mais da dona Mercedes do que da dona Célia. As duas tinham ali aquele tipo de convicção que nos levava a temê-las, mas pela dona Célia eu tinha menos admiração. Por que estou insistindo nesse ponto? Porque eu identifico que uma parte dos jovens, hoje, é mal-educada não por convicção, mas porque não foi formada numa outra direção. Esse atropelo na hora de entrar no elevador, ou, por exemplo, o atropelo quando a porta do cinema se abre e todo mundo quer sair correndo é algo típico, no meu entender, das grandes metrópoles em que disputamos espaço o tempo todo. Disputamos o lugar no emprego, na condução, o lugar para estacionar, para comer... E aí temos a ideia de uma sociedade que precisa ser toda organizada por filas. Poder burlar a fila é algo que faz parte, quase que se diria, da inteligência de convivência. Mas não é. Até há alguns anos, era muito difícil ver alguém trafegando pelo acostamento numa estrada. Quando isso começou a ser uma prática? Quando o congestionamento passou a ser superior ao deslocamento. Nesse sentido, nosso modo de vida também cria essa condição. Mas também não quero deixar de trazer algo que acho marcante. Eu

Eu identifico que uma parte dos jovens, hoje, é mal-educada não por convicção, mas porque não foi formada numa outra direção.

gosto bastante de enxergar nas novas gerações uma riqueza forte. Inclusive, escrevi um livro com **Pedro Bial**[*] que trata exatamente disso. Essa nova geração é bastante generosa em várias coisas. Aliás, ela é mais generosa do que algumas gerações anteriores, entendida a generosidade como a capacidade de querer fazer o bem para todas e todos. Hoje, diz-se com frequência: "Quero um trabalho em que eu não apenas ganhe dinheiro. Quero um trabalho em que eu seja importante para mim e para a comunidade". Isso é mais marcante agora do que há 20 ou 30 anos. Portanto, é uma geração com mais generosidade, apesar de ser também mais indisciplinada. Por quê? Porque ela foi formada desse modo. Uma coisa é entender a disciplina como convicção, outra é perceber aquilo como

---

[*] *Gerações em ebulição: O passado do futuro e o futuro do passado*. Campinas: Papirus, 2018. (N.E.)

resultado de um condicionamento. Pergunto para você: uma sociedade como a japonesa, e também a alemã, por exemplo, é disciplinada ou treinada?

Monja Coen – Ela é treinada. Mas acredito também que o treinamento pode levar à convicção, pode levar a entender o porquê da atitude, do gesto.

No Japão, vi no metrô certa vez um menino sentado cheio de correntes, com cabelo verde – pois ele é o menino fora dos padrões convencionais, se veste de forma irreverente aos padrões sociais de seus pais, seus avós. De repente, entrou uma senhora, ele se levantou e cedeu o lugar. Portanto, existe algo nessa polidez, nesse *shinsetsu* de que fala o Clóvis, que está inserido na cultura japonesa. Por mais que se mude a fantasia, a aparência exterior, há algo que, através de séculos de cultura, fica impregnado no ser, faz parte das pessoas.

Cortella – Sim. Eu tenho o hábito como princípio, e você também, de oferecer o lugar para qualquer pessoa. Eu sou generoso porque acho, sim, que a humanidade da qual faço parte precisa ser cuidada. E assim como cuido de mim, cuido do outro porque estou no outro. Mas o meu ponto é este, quando cito o caso do Japão: quando há treinamento, não se trata de uma convicção. Isto é, quando há não educação, mas um treinamento, em que somos absolutamente condicionados àquele ato, ele é um gesto automático, apenas. E penso que a virtude exclui o automatismo.

Monja Coen – Mas temos o livre-arbítrio, embora alguns neurocientistas digam que nossa possibilidade de escolha seja de apenas 5% (o restante do que somos já estaria predeterminado pela genética e pelas experiências que passamos desde a nossa formação intrauterina).

No Japão, as pessoas são treinadas, educadas a agir com polidez, com gentileza, de geração a geração. Mas, nesse processo, podem ter compreendido o porquê daquele gesto e agora, talvez, o façam por convicção.

Adianta ser bom?

Cortella – Eu queria colocar uma percepção sobre a ideia de perfeição – que você diz que são perfeições, quando fala dos paramitas. Na concepção ocidental, especialmente em boa parte da Filosofia, a perfeição é uma virtude, mas ela é colocada muitas vezes como inatingível, por uma razão: a palavra "perfeito", em latim, significa "feito por inteiro, feito por completo". E eu costumo brincar que só há um ser humano perfeito: o cadáver. Porque ele não pode mais se modificar por si mesmo; ele está feito por completo, está concluído. É curioso isso, porque a noção de perfeição dentro da linha que você indica, Monja, é aquilo que nos completa. Seria isso?

Monja Coen – Nós falamos do bodisatva. Ele é um ser iluminado que renuncia estar na iluminação perfeita para ajudar todos os seres a fazer a travessia da margem da ignorância para a margem da sabedoria, da completude, da compreensão, do bem.

Cortella – E qual é a finalidade dela? Para que chegar à completude?

Monja Coen – Para viver com plenitude. Viver fazendo o bem e a todos os seres.

Cortella – E por que o iluminado não – vou usar uma linguagem ocidental – "salva a si mesmo" e deixa os outros do outro lado da margem?

Monja Coen – É porque ele se identifica com todos. Se atravessarmos e chegarmos à outra margem, mas virmos que há uma multidão que ainda não atravessou, ficaremos apenas olhando aquelas pessoas em sofrimento? Qual é o voto, a função do bodisatva? É conduzir, orientar, provocar as pessoas a perceberem que existe uma outra margem. Muitas vivem em sofrimento e dor, considerando que não há saída, que assim é a vida. E o bodisatva mostra que existe uma outra maneira de viver, que podemos olhar o mundo de uma forma diferente. O bodisatva provoca uma nova reflexão.

A minha superiora escreveu no livro *Para uma pessoa bonita*:[*] "Às vezes, temos que nos tornar uma ponte. Há pessoas que agradecem por atravessar a ponte e outras que xingam a ponte. Não importa. Continuamos sendo a ponte". Para alguns, só a ponte não é suficiente. Eles necessitam encontrar um barqueiro, alguém que diga: "Sabe, há outro lado. E nós podemos atravessar". A maneira de atravessar são as perfeições ou os paramitas.

Cortella – Os cristãos romanos também utilizam essa ideia de ponte. Não é casual que aquele que é o condutor, o

---

[*] Shundo Aoyama Rôshi. São Paulo: Palas Athena, 2002. (N.E.)

grande pastor que tem que levar as ovelhas para o outro lado salvas, é chamado de "pontífice". Em latim, pontífice significa "aquele que faz pontes". Portanto, não é casual também que a palavra "papa" esteja ligada a "papai". "Papa" é um jeito carinhoso utilizado no grego antigo para falar daquele que cuida. Daí, "papa", "papai", que pode também ser como no étimo hebraico *ab* (pai) e por isso "abade", "abadessa". É a ideia do papai que cuida e que é pontífice, isto é, aquele que conduz para o outro lado.

Há uma narrativa ocidental muito forte nesse sentido, que é a alegoria da caverna de **Platão**. A crença platônica é que nós, humanos, vivemos trancados numa caverna voltados de costas para a entrada dela. Isto é, virados para uma parede que é o fundo da caverna. Entre nós e a parede, existe uma fogueira, onde nos aquecemos e fazemos o alimento. Estando acorrentados em direção à parede interna da caverna, acreditamos que o mundo é o que vemos nessa parede. Como às nossas costas há a abertura da caverna para o mundo real e tudo que lá passa faz sombra por causa da luz da fogueira, nós vemos projeções na parede, imagens, *eidos* em grego, isto é, ideias. Nós vemos apenas imagens que estão ali. E porque não viramos a cabeça, acreditamos que elas são a realidade. Em outras palavras, nós passamos a vida sendo enganados por simulacros. Nós achamos que a vida é aquilo, só que ela está lá fora. Ela está na outra margem do rio. Diz Platão que um dia um dos acorrentados consegue se virar e quebra a corrente. E sai. Quando sai, a primeira coisa que acontece – e que acontece com algumas pessoas quando encontram aquilo que é além do óbvio, aquilo que é a ideia do bem – é que ele fica cego. Porque se alguém está numa caverna a vida toda, a iluminação solar o faz perder a visão. A segunda coisa que acontece é que ele demora para acreditar que aquilo na caverna era falso. A terceira coisa é fazer o que faz o iluminado. Ele não pode sair da caverna e ver que as pessoas lá continuam e deixá-las ali. E ele volta para dentro da caverna e diz: "Isso não é verdade. Isso é ilusão. Isso não passa de quimera. Isso é falso". Qual é a consequência de quem faz isso? É morto. Porque é muito difícil dizer às pessoas que algo é ilusório. Elas preferem acreditar naquilo que está ali. Mas a maior dificuldade que tenho com a alegoria da caverna de Platão e que às vezes me incomoda, Monja, na nossa atividade como orientadores de pessoas – e não estou usando a palavra "orientador" com soberba, mas como profissão, já que somos professores, sou orientador, inclusive, de mestrado e doutorado – é uma questão de modéstia. Toda pessoa que conta, como contei aqui, a alegoria da caverna supõe que já saiu dela. Porque, ao contar e dizer que a vida é ilusória, que as pessoas não enxergam a verdade, no fundo estou dizendo: "Eu enxerguei. Venha comigo". Platão traz uma consequência política para essa concepção: aquele que sai da caverna precisa ser o rei. Inclusive, Platão faz uma busca prática, e vai a lugares como Siracusa para tentar formar o rei como filósofo. Embora a palavra "Filosofia" tenha sido criada por **Pitágoras**, Platão usa o termo "filósofo" como sinônimo de sábio. Platão faz três viagens. Numa delas, é preso e tornado escravo. Seus amigos em Atenas é que juntam dinheiro para recomprá-lo.

Essa concepção do rei-filósofo ou do filósofo-rei é o que chamaríamos hoje de uma concepção iluminista. Porque o Iluminismo, seja o francês, seja o alemão, no século XVIII, parte do princípio de que aquele que atingiu a sabedoria, isto é, aquele que já está consciente, que já saiu da caverna, é quem deve guiar. Isso parece imodesto, mas, por outro lado, também se diria: "Será que aquele que já atravessou o rio e viu da outra margem que os cativos lá persistem não tem o dever ético – e, portanto, o exercício de virtudes como a compaixão e a fraternidade – de ir lá buscá-los?". Mas será que, por ser um docente, um filósofo, um mestre, um condutor, eu já fiz a passagem?

Monja Coen – Estamos sempre fazendo a passagem, não há ponto final. Está acontecendo o tempo todo, porque o conhecimento não tem fim. Não existe o "agora já sei tudo". Nós não sabemos tudo. E quando ensinamos, aprendemos juntos. No momento em que falamos da caverna e das imagens, começamos a perceber que ainda acreditamos em algumas dessas coisas, mesmo sabendo que elas são irreais.

Uma vez perguntaram a um monge o que é o amor. Ele o definiu de uma forma muito interessante: "Se quero estudar e meu vizinho coloca músicas que me perturbam, eu o odeio. Mas se ele coloca músicas que me inspiram, eu o amo". Portanto, aquilo que faz realizar o que se quer, provoca bem-estar; aquilo que impede de fazer o que se quer, causa um desagravo. Ora, eu não faço palestras sozinha. Preciso que as pessoas venham me pedir e estejam dispostas a me ouvir. Você não dá aula numa sala vazia.

Cortella – Às vezes dou, mas aí é perturbação... [*Risos*]

Monja Coen – É horrível. Admiro muito **Thich Nhat Hanh**, um monge vietnamita, que nos sugere a criação de uma nova palavra: *interser*. Em vez de "eu sou", "tu és", "ele é", nós intersomos. Tudo o que existe é o cossurgir interdependente e simultâneo. Existem pessoas que nos procuram, que querem conhecer aquilo que estudamos um pouco – porque há muito mais para ser conhecido e estudado –, e nós podemos passar a elas o que sabemos até agora. Não é porque eu dou palestras que sou um ser perfeito, que estou em outro universo. Algumas pessoas acham: "Não, Monja. Você é diferente". Diferente do quê? Vou ao supermercado, vou ao banheiro... Faço tudo o que elas fazem.

Cortella – A maior dificuldade que nós temos neste livro é que, para falarmos sobre vida virtuosa, temos que supor que sabemos o que é isso.

Monja Coen – E que vivemos de forma muito virtuosa.

Cortella – Exatamente. Porque, do contrário, é o que chamamos no mundo da Filosofia de pontificar. De fato, eu e você temos alguma ideia sobre o que é uma vida virtuosa, sobre quais são as virtudes necessárias para uma boa vida coletiva. Mas isso não significa que seja só desse modo e nem que nós sejamos isentos da vida viciosa. Nunca me esqueço de um diálogo que li entre **Mussolini** e o embaixador da Itália, antes da Segunda Guerra Mundial. Houve uma conferência da Liga das Nações,[*] na Suíça, sobre quais eram os gases que poderiam ser ou não utilizados na guerra – estava-se construindo ali algo que mais tarde, muito depois da Segunda Guerra, viria a ser a terceira Convenção de Genebra. E o embaixador da Itália esteve nessa conferência e, ao voltar, Mussolini o chamou ao palácio presidencial em Roma e perguntou: "E aí? A que conclusão chegaram? Qual é o mais letal dos gases?". O embaixador respondeu: "O incenso, Excelência". Fico sempre pensando nessa frase. O mais letal dos gases é o incenso, isto é, aquilo que pode liquidar a nossa capacidade de uma vida virtuosa de fato. Se alguém me pedisse: "Mas, Cortella, me conte qual é o caminho do bem", quase que eu ficaria tentado a dizer: "Bom,

---

[*] Organização internacional criada em 1919 pelas nações vencedoras da Primeira Guerra Mundial, para negociar um acordo de paz. Com a Segunda Guerra Mundial, a Liga das Nações foi extinta, sendo depois sucedida pela Organização das Nações Unidas (ONU). (N.E.)

basta olhar para mim que você vai saber". Não é verdade, nem para você nem para mim. Por isso, a humildade é decisiva para não degenerarmos.

Monja Coen – Temos um limite naquilo que podemos desenvolver como virtudes, de tentativas de sair de nossos vícios – ou de criar novos vícios. De apontar às pessoas que existe um caminho que é virtuoso, onde entramos e saímos e não ficamos presos a coisa nenhuma. Como podemos, então, transformar vícios em virtudes? Não apenas com a frase: "Jesus tira o vício". Sim, Jesus tira o vício se você for Jesus, se seguir e vivenciar os ensinamentos Dele. Da mesma maneira, se você seguir o caminho de Buda, ou qualquer caminho de regeneração, de religação, ou uma filosofia que se torne o princípio da sua vida.

Cortella – Na obra *República* de Platão, diálogo todo narrado por **Sócrates** na primeira pessoa, há um momento em que o autor tenta realçar o papel de Sócrates, que desejava a perfeição, como iluminador numa sociedade que, porque não o compreendia, o condena ao "suicídio". Sócrates é o grande inspirador da Filosofia ocidental, embora não seja necessariamente o maior dos filósofos. Acho que, talvez, Aristóteles tenha sido o mais importante dos pensadores, se fizermos uma escala de contribuição na história. O grande **Dante Alighieri** chamava Aristóteles de *maestro di color che sanno*, o mestre dos mestres. O mestre de todos aqueles que sabem de alguma coisa. Mas Sócrates é tão importante que a Filosofia antiga foi definida formalmente como pré-socrática, socrática e pós-socrática, e isso sem ele ter nenhuma obra escrita. Tudo o que sabemos sobre ele veio por intermédio dos diálogos platônicos. Dos mais de 33 diálogos de Platão, a maioria deles tem Sócrates como personagem. Cada um desses diálogos fala sobre virtudes: amizade, paciência, prudência, justiça, tudo aquilo que vai compor um pouco o modo de conduta desejado no Ocidente. Sócrates foi referência de uma comunidade de vida. Como havia uma regra no século V a.C. de que grego não matava grego, se um homem livre, como era o caso de Sócrates, fosse por lei condenado à morte, ele tinha que se matar. E ele podia escolher vários modos para fazer isso: ou tomava veneno, que era a coisa mais horrorosa, dado que a morte dessa forma é lenta e dolorosa; ou se atirava de cima de um lugar alto, ou recebia um punhal e se suicidava. As pessoas estranham: como alguém é condenado ao suicídio e o faz? Mas era uma questão de honra. Se alguém fosse condenado, não deixaria de obedecer àquilo que a *polis*, a comunidade, indicava. Sócrates aceita que deve obedecer às leis da cidade, da *polis*, e escolhe a pior morte, que é beber veneno. E ele bebe cicuta e morre da forma mais dolorida e mais demorada. O interessante, na narrativa sobre Sócrates, isto é, o grande iluminador, alguém abençoado, é que ele, em alguns momentos, vai ser identificado mais tarde – não como pessoa, mas como espírito de prática na vida – com Buda e com Jesus de Nazaré.

Monja Coen – Essa história me fez lembrar de um mestre de chá japonês do século XVI chamado Sen no Rikyu. Ele era quase uma eminência parda. Os grandes senhores feudais, em todos os momentos de guerra e de luta, iam consultá-lo. E o xogum* da época, que era um grande amigo dele, ficou muito enciumado pelo poder que Sen no Rikyu mantinha em toda a comunidade e exigiu que ele se matasse. Como se o xogum houvesse pensado o seguinte: "Sen no Rikyu agora é quem orienta todos, é consultado por todos, até para as estratégias de guerra em nosso país e está me incomodando". Certo dia, o xogum notou que havia uma imagem de Sen no Rikyu acima do portal de entrada de um templo e ficou furioso: "Como vou passar por baixo dele?". Ele mandou queimar a imagem, que era de madeira, e em seguida exigiu que o mestre de chá cometesse *seppuku* – o suicídio honroso ritual. Sen no Rikyu havia construído uma casinha de chá muito simples, muito pobrezinha, e lá se preparou. Vestiu-se todo de branco, conforme o ritual exige. Desembrulhou uma pequena espada, quase uma faca, envolta em seda branca, e rasgou seu próprio ventre. Geralmente, essa é considerada uma morte nobre, pois ninguém pode matar a pessoa a não ser ela mesma. Um amigo de Sen no Rikyu havia ficado a seu lado, como parte do ritual, para evitar grande e longo sofrimento. Esse amigo poderia

---

* Antigo título militar concedido ao comandante do Exército japonês. (N.E.)

cortar-lhe a cabeça. Só que Sen no Rikyu havia pedido: "A sala é tão pequena que não dá para você levantar a espada. Então, não faça isso". Foi uma morte lenta e dolorosa.

Há algo semelhante nessa história com a que você contou, que é a questão da honra e da dignidade. Sen no Rikyu obedece à ordem de um superior, mesmo sendo injusta, porque estava de acordo com a sociedade da época. Portanto, novamente, é a história do homem iluminado, muito sábio, perseguido porque incomodou aquele que não conseguiu acessar o que ele acessou.

Cortella – Você sabe que uma das razões da condenação de Sócrates, que é considerado um homem virtuoso, é porque ele é acusado de impiedade, isto é, de ser ímpio no sentido de não honrar os deuses da cidade. Porque a principal pregação socrática é que cada um tem que ser livre e pensar com a própria cabeça. Ele é acusado de impiedade e de um segundo termo, muito curioso, que é corrupção da juventude. Isto é, ele queria fazer com que os jovens não aceitassem as coisas só porque alguém com mais idade dizia que aquilo era correto. Estou indicando isso porque, quando você contou essa história do mestre de chá, Monja, eu me lembrei de algo que é especial, e que tem um pouco a ver, inclusive, com a nossa capacidade de olhar o que é vida. Sócrates é condenado ao suicídio e há uma coincidência de tempo. Entre a data em que deveria se matar e o tempo em que ele, de fato, se suicida passam-se 30 dias, por uma razão: a condenação de Sócrates se dá exatamente no momento da homenagem às festividades gregas a Apolo,[*] período em que ninguém podia ser executado ou executar-se. Sócrates fica 30 dias na prisão, com os amigos o visitando o tempo todo – isso até tem uma certa semelhança com situações no século XXI. Ele fica ali e os amigos vão visitá-lo. É nessas visitas que se constroem alguns diálogos que Platão vai recolher. Quando se prepara para a morte, Sócrates fala sobre a vida. E a principal coisa que ele fala é que não tem nenhum medo de morrer porque só o corpo dele vai perecer. Essa é a primeira vez no Ocidente, na Filosofia, que se tem a concepção de que a alma é imortal desse modo. Aquilo que, mais tarde, vai entrar em várias das religiosidades e das vidas no Ocidente aparece exatamente nesse período porque, enquanto se prepara para a sua autoexecução, Sócrates fala sobre a imortalidade da alma. Isso está consignado num diálogo de Platão que ninguém pode deixar de ler, independentemente de onde esteja, porque é o primeiro momento em que o Ocidente constrói uma concepção filosófica sobre a imortalidade da alma que não é pura religião. O diálogo se chama *Fédon*. (Existe um diálogo de Platão chamado *Fedro*, mas esse outro é *Fédon*.) Nele, nasce a concepção filosófica sobre a imortalidade da alma. E é claro

---

[*] Uma das principais divindades da mitologia greco-romana, considerado o mais belo dos deuses. (N.E.)

que Sócrates diz – e aí eu queria chegar a um ponto com você, Monja – que está em paz para morrer. Porque o que ele vai ganhar é o que ele vai perder. Ele vai ganhar a perda da prisão, que é o corpo, posto que o corpo sofre e faz sofrer. O corpo tem necessidades, tem dor, tem a ideia daquilo que padece. Sócrates vai se libertar do corpo e vai ser livre. A alma dele imortal vai ganhar plenitude. É interessante porque isso tem uma conexão com a ideia de paz. Quando você falava do bodisatva, eu imaginava que chegar ao outro lado da margem deve ser para viver aquilo que se chama de paz de espírito. É isso?

Monja Coen – Vou falar um pouquinho sobre Buda. Ele teve problemas gastrointestinais e comeu coisas que não lhe fizeram bem. Deitou-se para morrer entre duas árvores. Em seu último ensinamento, disse: "Quem não se alegra em se livrar desta coisa chamada corpo?". Buda não falou sobre vida eterna, mas sim: "Façam do Darma o seu mestre e eu viverei para sempre". Darma aqui pode significar a verdade, a lei verdadeira. Em seus momentos finais, ele não mencionou nada sobre alma imortal, renascimento, reencarnação. Aliás, ele foi categórico em afirmar *anatman*, que é a negação do *atman*, considerado alma ou espírito imortal. Seus ensinamentos se baseiam no vazio, no não eu, na insubstancialidade de tudo, na impermanência. Não há um eu fixo, permanente, não há *atman*. Próximo de seu momento final, Buda assim falou: "Não se lamentem. Tudo o que começa inevitavelmente termina.

Não é o meu corpo que vocês amam, mas os ensinamentos. Façam do Darma o seu mestre e eu viverei para sempre". Esta foi a expressão de um mestre: "Eu sou apenas um instrumento. E o corpo, quem não se alegra de se livrar dele?". Temos dois pensamentos de escolas budistas diferentes. Uma delas acredita que só encontraremos a plenitude e a completude quando não houver mais corpo, pois ele é um obstáculo. Mas, na minha ordem, mestre Dogen diz: "*Samsara** é nirvana. O nirvana, a paz, a plenitude têm que ser alcançados aqui, neste corpo, nesta vida, nesta sociedade, neste mundo, e não na morte". A morte, podemos chamá-la de *parinirvana* ou Grande Nirvana Final. Também há a grande morte em zazen. "Morra na almofada de zazen" é uma instrução dada aos praticantes. Quem pratica zazen deve se sentar numa almofada e encontrar a grande morte, isto é, morrer para as ideias que tem de si, para as ideias que tem da realidade – única maneira de encontrar a realidade assim como ela é. Toda a nossa proposta, então, a proposta do zen e do budismo é esta: "Acorde, desperte para aquilo que é, para aquilo que está fora da caverna". Pode ser assustador. Há pessoas que ficam com medo. Eu conheci uma senhora suíça que havia chegado ao Japão e me disse: "Monja, comecei a meditar e fiquei com muito medo". Eu perguntei: "Sim, mas de quê?". "De perder

---

* No budismo, *samsara* é o fluxo contínuo da vida, desde o nascimento até a morte. (N.E.)

a minha identidade." Aí eu brinquei com ela: "Você está com o seu passaporte, não vai esquecer o seu nome". Na meditação nós perdemos a identidade, o personagem que construímos desde crianças e que, de repente, percebemos que é a imagem na parede. Que não é o nosso verdadeiro eu.

Cortella – Isso que você coloca é muito interessante, porque a Filosofia no Ocidente tem duas linhas principais. Uma delas é chamada de idealismo, no sentido de que as ideias são o lugar da perfeição. E a outra é o empirismo, isto é, o mundo da matéria, esta vida, é que é o lugar da realização da perfeição. Ou seja, a realização da perfeição no empirismo, inclusive como concepção ética, se dá neste mundo. Para o idealismo, a realização da perfeição se dá quando nos libertamos deste mundo e vamos para as puras ideias, aquilo que é chamado de essência. Pois bem, o inaugurador mais estruturado do idealismo é Platão – e, portanto, Sócrates. Nessa concepção, só há perfeição quando nos libertamos do corpo corruptível, que é uma prisão. O grande discípulo de Platão, que com ele estuda por 20 anos e que vai romper com essa concepção, é Aristóteles. Aristóteles dirá que as ideias perfeitas existem, mas que nós as encontramos aqui. E mil anos depois de Platão temos um pensador cristão, Agostinho, que vai adotar a ideia de que, de fato, este mundo não vale nada, o que vale é o mundo perfeito, que seria fora daqui. Esse mundo é chamado por ele de Cidade de Deus; já o lugar em que nós estamos, de Cidade dos Homens. A este mundo, façamos o que quisermos, então. "A César o que é de César", não importa. Nessa concepção, podemos ser apáticos na política, não precisamos enfrentar a opressão porque isso passa. Já a concepção aristotélica, isto é, a ideia de que a virtude também se realiza neste mundo, chega para o Ocidente de forma mais forte por **Tomás de Aquino**.

O debate segue na modernidade com **Bacon**, Descartes, **Kant**, **Hegel**, **Comte** e desemboca no século XXI novamente com a mesma questão: Onde está a possibilidade da vida virtuosa? Nesta vida ou fora dela? Se imaginarmos que a vida virtuosa se dá nesta vida e que este mundo não é indiferente, então, temos que nos interessar por política, por gestão, por negócios, por pessoas. Se imaginarmos que a vida virtuosa não se coloca aqui, eu tendo a minha vida virtuosa, lamento, o resto que se lasque, para usar uma expressão caipira – que é um modo de não usar uma expressão mais feia. Nesse sentido, eu acho muito forte que Sidarta Gautama, o Buda, tenha vivido, do ponto de vista de contemporaneidade, quase de maneira direta no mundo socrático. Porque Sócrates também é do século V a.C. Temos, então, três grandes nomes no século V a.C. em locais diferentes: Sidarta Gautama, na Índia, **Confúcio**, na China, e Sócrates, na Grécia, em Atenas. Essa época, mesmo que não haja ali uma interpenetração, vai trazer uma questão séria, que é: como fazemos para que a nossa vida não seja inútil? É a ideia que você falava de *samsara*. Ou se entende *samsara* no budismo como sendo uma tarefa?

Monja Coen – Não, *samsara* seria o mundo que você vai chamar dos seres humanos, o mundo comum de nascimento, velhice, doença e morte, apegos e aversões, expectativas e delusões.

Cortella – Mas é nossa tarefa arrumá-lo? Ou ele é assim e a gente deixa?

Monja Coen – Não. O mundo é transformação, não há nada fixo nem nada permanente. E nós somos a transformação deste mundo. Como fazemos isso? A nossa presença, a nossa fala, o nosso pensamento, os nossos gestos são movimentos que mexem com a trama da existência. A existência é comparada a feixes luminosos onde em cada intersecção há uma joia emitindo raios em todas as direções. Nós somos a vida dessa joia. O que fazemos, falamos e pensamos mexe em toda essa trama. Podemos fazê-lo de maneira prejudicial ou de maneira benéfica. A escolha é nossa.

> O mundo é transformação, não há nada fixo nem nada permanente. E nós somos a transformação deste mundo.

Cortella – Mas existe escolha? Porque nós falamos que ela é reduzida.

Monja Coen – Sim, é reduzida, mas ela existe, sim. Nós escolhemos o que vamos treinar. Vamos falar de novo em sinapses neurais: Quais delas nós vamos treinar? Que sinapses queremos estimular? Assim como alguém que, na academia de ginástica, para treinar o bíceps, usa certos exercícios e aparelhos, nós, budistas, queremos estimular as sinapses neurais para encontrar a verdade. Se encontrarmos a verdade através de uma boa orientação, faremos o bem, porque perceberemos que somos a trama da vida. Nós somos a vida da Terra, estamos ligados a tudo e a todos. Devemos, então, cuidar da natureza não porque somos bonzinhos e ecologicamente corretos, mas porque é a nossa vida. Uma planta somos nós. O nosso bem-estar depende do bem-estar da planta, como de todos os animais, árvores, insetos, pedras, plásticos – tudo o que existe. Estamos interligados, intersendo. Experimentar a realidade, mais do que falar sobre ela, é a proposta do zen – e é, sim, uma escolha.

Cortella – Essa percepção tem várias colisões com a Filosofia ocidental. Mas tem aproximações também. Uma vida virtuosa precisa ter uma recompensa. Nas religiões, a recompensa é, muitas vezes, a salvação. No caso dos nórdicos, por exemplo, a pessoa vai para o valhala[*] e, portanto, tem a eternidade voltada para a conquista, a sensualidade...

Monja Coen – No budismo, podemos entrar na Terra Pura – não é o céu, embora ela também seja chamada de Paraíso do Oeste. Essa entrada pode acontecer agora, em vida, e não

---

[*] A morada dos deuses, segundo a mitologia escandinava. (N.E.)

só depois da morte. Tornamos aqui a Terra Pura pela maneira como vivemos, mas algumas pessoas não o percebem. No *Sutra da Flor de Lótus da Lei Maravilhosa*, um dos ensinamentos de Buda, há um capítulo sobre pessoas deludidas – a delusão não é uma ilusão, mas é o acreditar na ilusão –, pessoas que pensam que este mundo está em chamas e que está perdido. Buda diz: "Saibam que tranquilo é o meu reino. Ele é repleto de seres celestiais, parques e muitos palácios adornados com todas as espécies de joias. Tem árvores preciosas repletas de flores e frutos com que todas as criaturas se deleitam. Minha Terra Pura jamais será destruída".

Algumas pessoas ainda não perceberam essa possibilidade de o aqui e agora ser o local sagrado, a Terra Pura, onde podemos apreciar a vida. Como fazer com que percebam que aqui é o paraíso e que podemos fazer desta vida o nirvana? É nosso direito e dever de nascença agir e transformar, e não ser apenas espectadores da realidade.

Cortella – E quem nos deu esse dever?

Monja Coen – Nós mesmos, como seres humanos.

Cortella – Mas é difícil dizer para as pessoas que aqui é o paraíso na medida em que elas vivem exatamente o inferno. Você dialogou sobre isso com **Karnal** num livro muito bom[*] e

---

[*] *O inferno somos nós: Do ódio à cultura de paz.* Campinas: Papirus. (N.E.)

onde aparece uma ideia que é bastante forte. Porque, no fundo, eu volto à questão: a boa conduta, isto é, a vida virtuosa, ou ela tem uma recompensa ou de que adianta ser bom? Essa é a pergunta com que eu e você, Monja, que de alguma maneira somos professores, docentes, pessoas que outras gostam de consultar, vamos nos deparar no dia a dia com aqueles que conosco conversam, especialmente os que vêm em busca de conselho ou de orientação e até de algum diálogo. De que adianta ser bom? De que adianta ser virtuoso num mundo degradado, apodrecido? Num mundo onde a ruptura da vida é muito forte, a pergunta é: "O que eu ganho com isso?".

Monja Coen – O prazer incomensurável de fazer o bem. Eu digo que nosso dever e direito de nascença é encontrar a verdade e trabalhar por isso. Pensamos que não há ganho e realmente não há ganho nenhum. O bem-estar, algo que ninguém pode tirar de nós, é um bem-estar completo, a liberdade de interser, agindo com leveza e ternura, encontrando a plenitude de saber que estamos fazendo o certo e o correto.

Cortella – Podemos usar a palavra paz?

Monja Coen – Sim.

Vida é escolha?

Cortella – Parte das pessoas imagina que algumas são mais capazes do que outras de praticar a virtude, ou, para usar uma palavra que é mais direta, a santidade – e entendo aqui santidade não só no sentido teológico exclusivo, daquele que está além do humano, mas também como aquele que é cheio de graça, que vive a sua humanidade de uma maneira tão intensa na sua amorosidade e partilha que é capaz de ganhar uma bênção na sua comunidade e abençoá-la do mesmo modo. É como se a divindade tivesse escolhido alguns que seriam capazes de caminhar numa rota, enquanto outros, não, já teriam no ponto de partida a sua condição negativa. Por isso, acho que a virtude é exatamente aquilo que permite que a gente se eleve não no campo da soberba, mas que realize a nossa humanidade no ponto máximo, ou seja, não desperdice vida. É aquilo que Jesus de Nazaré chamava de não jogar fora os talentos. A vida é tão magnífica e é um mistério tão estupendo que a desperdiçar, isto é, a fazer menor do que ela pode ser, é uma ofensa. Não é uma ofensa a alguém, a alguma divindade,

> **Acho que a virtude é exatamente aquilo que permite que a gente se eleve não no campo da soberba, mas que realize a nossa humanidade no ponto máximo, ou seja, não desperdice vida.**

a forças esotéricas; é uma ofensa à própria vida. É uma forma de diminuir-se, de ser menor do que se é de fato.

Monja Coen – Textos clássicos do budismo mencionam dez poderes do ser iluminado. O primeiro deles é o completo conhecimento do certo e do errado em todas as circunstâncias. Correto é o verdadeiro de acordo com a realidade e se opõe ao delusório, que é o falso, o errado.

O segundo poder é o conhecimento do carma de cada ser, no presente, no passado e no futuro. Isto é, de quais hábitos os seres manifestam no presente, manifestaram no passado e manifestarão no futuro.

O terceiro é o conhecimento de todos os estados de *dhyana* (zen, meditação) e *samadhi*, que é a capacidade de sair do individual e identificar-se com o todo. Buda ensinou que *dhyana* (zen) é o chão de todas as virtudes, não é apenas concentração. Concentração é *mindfulness* – plena atenção, que tem sido difundida em empresas e espalhada por escolas, sem o selo de uma religião. Mas isso não é zen, é um "passo para". Na ioga, fala-se em *dharana*, que significa atenção plena. A atenção plena não é a meditação, mas é um "passo para". A meditação vai um pouco além. Buda sentou-se sob a árvore Bodhi, a árvore da iluminação, em *dhyana* e penetrou o *samadhi*. Entretanto é com *prajna*, com a sabedoria, que ele se levanta e prega. Não é bonito isso? Portanto, a meditação, o zen e o *samadhi*, a percepção de que estamos ligados a tudo, nos levam à *prajna*, à sabedoria. E a sabedoria faz com que a gente saia para o mundo e ensine as outras pessoas.

Cortella – É por isso que eu sempre digo que Jesus falou: "Levanta-te e anda". Ele não disse "Levanta-te e senta mais um pouco, levanta-te e descansa".

Monja Coen – O quarto poder do buda é compreender os poderes e as faculdades de todos os seres. Na sala de aula, por exemplo, é possível ver entre os alunos quem pode, quem não pode e até onde pode ir, compreender.

O quinto poder é conhecer os desejos ou a direção moral de cada ser, isto é, para onde é que os desejos e as condições morais de cada um o estão conduzindo. É a capacidade de ver o outro. Quando estamos muito fechados em nós mesmos, não vemos o outro. Nós projetamos o outro, ele tem que ser aquilo que achamos que deveria ser. E, então, não somos capazes de ver o que ele realmente é. Por isso, a capacidade de ver a realidade como é, para nós, é muito importante. Nosso trabalho todo é esse. Por exemplo, na minha jornada, quando saí da casa da minha família e fui trabalhar no *Jornal da Tarde*, aquilo foi uma expansão de consciência. O pessoal brincava: "Tirou o tampão", porque fui conviver com pessoas de todas as classes sociais, de todos os grupos, e me identifiquei com elas. Eram seres humanos como eu. Não eram iguais, porque não somos iguais, mas somos todos irmãos, semelhantes.

O sexto poder é conhecer a condição atual de cada pessoa. O sétimo é compreender a direção e a consequência de todos os atos, de tudo o que se faz. O oitavo, conhecer as causas da mortalidade, do bem e do mal e suas realidades: amor-bondade, compaixão, alegria em relação a si e aos outros e equanimidade – essa é uma palavra importante que trabalhamos muito, pois a mente da sabedoria é a mente da equanimidade, não da igualdade.

O nono poder é compreender o fim de todos os seres e o nirvana, que significa entrega total. A morte é o ato final de entrega, de doação. Nirvana é o estado de grande tranquilidade nesta vida. Através do zazen, podemos acessar o que chamamos de "a grande morte", isto é, pôr fim à ideia de quem somos para ser quem somos, ir além do conceito de um eu separado. Morrer para as ideias que temos de quem somos e nos tornarmos o que somos.

Cortella – Manoel de Barros, já perto dos cem anos, quando alguém lhe dizia "mas o senhor, com essa idade...", falava: "Não estou preocupado. Não estou indo em direção ao fim. Estou indo em direção às origens".

Monja Coen – Que bonito isso! No budismo, quando alguém morre, escrevemos seu nome em um *ihai*, que é um tablete memorial. Com o nome, escrevemos: "Aquele que acaba de retornar à origem". Morrer é retornar à origem.

Por fim, o décimo poder do buda é a destruição da ilusão e delusão de qualquer espécie, a espada que corta fixações e preocupações e faz surgir o bom humor em partilhar o caminho.

Mestre Dogen inicia um texto em sua obra principal, chamada de *Shobogenzo* (*Olho tesouro do verdadeiro darma*), ensinando que o mais importante a quem procura a iluminação, a quem procura o caminho iluminado é entender o que é vida-morte. Esse é nosso dever e direito de nascença. Todos nós, como seres humanos, temos a capacidade de compreensão e questionamento. É importante não se aquietar e questionar: O que é vida-morte? O que estamos fazendo aqui? Qual é o nosso papel no mundo? Temos um papel no mundo? Quais escolhas podemos fazer? A partir dos questionamentos, da procura penetraremos nos ensinamentos dos preceitos, da vida ética. Não são preceitos fechados, regras absolutas. Devemos compreendê-los em profundidade. Por exemplo, como interpretar o não matar? Não matar é dar vida. É dar vida à própria vida. Como você falou, é não a desperdiçar, não abusar da vida em nenhum momento. Mas quais são os nossos talentos, as nossas condições, as nossas capacidades? E o que podemos aprender? Que novos talentos podemos desenvolver? Porque o talento sozinho não é suficiente. Se não houver esforço adequado, o talento não se desenvolve.

Cortella – Sim. Aí não é um talento; é um dom. É uma entrega imediata.

Monja Coen – Há muitas pessoas que, considerando ter um determinado talento, pensam que não precisam se esforçar: "Eu não preciso fazer mais nada porque já tenho o talento". Isso é lamentável, pois elas deixam de ser excelentes. Só se tornam excelentes quando percebem que, se o talento for bem utilizado e bem direcionado, se houver esforço e entrega, ele será transformado em virtude.

Cortella – E o talento é uma capacidade. Os latinos usavam muito uma expressão ligada ao campo da fé e que tentava explicar por que existe a percepção sobre dom, sobre talento, que é *homo capax dei*, o homem é capaz de Deus. Não é capaz de ser Deus, mas é capaz de Deus. Isso significa que o homem se inclina na direção de algo que oferece sentido à própria vida, ou seja, que recusa a vida como banalidade, como mera materialidade, como esforço inútil que depois cessa. Você sabe, Monja, que a tradição hebraica, depois a cristã e na sequência a islâmica colocam a vida como criação. E, portanto, como objeto de uma vontade que tem um começo, diferentemente dos gregos e dos romanos, que não tinham a existência do mundo como objeto de uma criação, mas como processo de uma eternidade que os deuses ordenaram como é. Quando se trabalha com a noção da vida como criação, existe uma encrenca teológica por trás disso: se a divindade criou tudo, criou o mal também. E por que o fez? Isto é, se a maldade é resultante da criação da divindade boa, que bondade é essa que coloca essa condição do mal, o vício como presença? Se estamos dizendo que a virtude é uma potência, nós temos que a entender como escolha – e escolha de fazê-la ou não. O vício também é escolha. E se ele é escolha, por que ele existe? E por que um deus de bondade ou uma divindade fez com que isso existisse?

Ora, Agostinho vai se deparar com essa questão no século V, logo após o cristianismo se estruturar como prática religiosa e ganhar, ainda no século anterior, o ar de religião oficial do mundo romano. E ele vai dar uma resposta para essa questão que até hoje não achei melhor, e ela tem a ver com o vício. Agostinho diz que o Mal não existe por si mesmo; o Mal é a privação do Bem. Isto é, a nossa inclinação é para elevar a vida. Toda vez que nos furtamos, nos ausentamos de fazer isso, nos privamos do bem. Por isso, a maldade, o vício, não tem uma presença como ente. Ela não é objeto de criação; é a escolha humana que decidiu se privar do bem, e então o mal surge. Ora, volto a isso em relação à virtude. O vício é uma privação. Uma privação de quê? Da nossa inclinação para cuidar da vida e partilhá-la em vez de apenas agredi-la, ofendê-la. Essa é uma visão bonita, porque marca a ideia do humano como um ser de bondade no ponto de partida. Não sei se ela tem toda a verificabilidade, mas tem uma presença bonita.

Monja Coen – O budismo não trata de origem, do que seria a criação, de onde viemos. Existe até uma analogia interessante usada por Buda, quando lhe perguntavam sobre a origem da vida: se alguém leva uma flechada, é melhor retirar a flecha e curar o ferimento do que perguntar de que madeira ela veio e quem a fez. No budismo, não existe a noção de um deus, de um criador que esteja criando separado da criatura. Para nós, tudo o que existe é um processo incessante de causas, condições e efeitos. Não se menciona uma causa primeira. Não é importante saber qual é a causa primeira. Portanto, não temos a ideia de um criador, mas de algo que é cocriado. Há um ensinamento de Buda, que aprecio: "Tudo o que existe é o cossurgir interdependente e simultâneo". Nada existe por si só, não há nada que nos tenha precedido. Há um processo incessante de transformação: nascer, permanecer, desaparecer, nascer e assim por diante. Há um momento de permanência, mas nada é fixo. Não há um personagem ou uma entidade ou uma energia separada daquilo que é como é. Uma das expressões muito usadas no zen é esta: "Assim é como é". As coisas são como são. Em japonês, a expressão é: *Nyo Ze Nyo Ze*.

As nossas escolhas vão depender muito do local onde nascemos. Vão depender também das tendências com as quais nascemos. Cada um de nós nasce com tendências que são hereditárias e que têm muito a ver com a nossa ancestralidade e com a caminhada que o nosso DNA tem feito. Em 2016, um artista britânico[*] fotografou algumas pessoas, dentre as

---

[*]   Marcus Lyon. (N.E.)

quais eu estava, para analisar o DNA brasileiro. Tirou amostras da saliva e as enviou a um laboratório nos Estados Unidos para pesquisar a origem do DNA das pessoas fotografadas. Ele chegou à conclusão de que 5, 6 mil anos atrás boa parte de nós, brasileiros, estávamos no norte da África. Somos africanos, portanto. Somos muçulmanos. Somos de todas as etnias possíveis. Todos nós. Parte de meus ancestrais foi para a América do Norte e se miscigenou com indígenas, que teriam vindo da Ásia. Depois vieram para a América do Sul. Correm em nosso DNA os DNAs de toda a humanidade. Quais as tendências provocadas pelo DNA de cada um de nós? Nosso DNA foi se modificando e se adaptando. Eu tenho, então, algumas tendências que são um pouco diferentes das de outras pessoas. Fora esse passado distante, há tendências que surgiram a partir das experiências no útero materno: a maneira como fui gerada, como fui ou não amada. Dona **Zilda Arns** costumava dizer que "a violência surge no útero materno". As experiências pelas quais passamos desde a gestação até as etapas subsequentes da infância, puberdade, adolescência, idade adulta vão nos modificando e são determinantes na maneira como fazemos escolhas. Por isso, eu questiono o livre-arbítrio. Será que temos essa liberdade toda? Mas não concordo com **Lombroso**, e sua teoria do assassino nato, que já teria características físicas e psíquicas de um assassino.

Cortella – Bastaria medir a cabeça dele...

Monja Coen – E não penso também, como **Rousseau** diria, que todo mundo é bom, que o ser humano nasce bom e a sociedade o perverte. Nem bom nem ruim, acho que o ser humano nasce com determinadas características, que podem ser alteradas por meio da educação, do convívio e de práticas que o transformam. Os 5% de livre-arbítrio são muito importantes nessa jornada. Por exemplo, eu que convivo desde criança com cachorros, vejo que uns já nascem mais bravinhos, briguentos; outros são mais mansos. Uns comem muito, outros comem pouco. Cada um nasce com uma característica, mas que pode ser treinada, modificada. Tive uma vez um cachorro muito bravo, briguento, que queria morder todo mundo. Dei a ele muito carinho, muito amor, ele morava dentro de casa, no convívio com todos e amansou. Você se lembra, Cortella, de um poema sobre são Francisco e o lobo?

> **Nem bom nem ruim, acho que o ser humano nasce com determinadas características, que podem ser alteradas por meio da educação, do convívio e de práticas que o transformam.**

Cortella – Sim, claro!

Monja Coen – Chama-se "Os motivos do lobo", de **Rubén Darío**.

O varão que tem coração de lis,
alma querubínea, língua celestial,

o mínimo e doce Francisco de Assis,
está com um rude e torvo animal,
besta temerosa, de sangue e de roubo,
a fauce de fúria, os olhos do mal:
o lobo de Gubbio, o terrível lobo,
foi raiva e pavor pelos arredores;
cruento desfez todos os rebanhos;
devorou cordeiros, devorou pastores,
e são incontáveis suas mortes e ganhos.

Fortes caçadores e seus alazães
foram destroçados. Os caninos duros
deram farta conta dos mais bravos cães,
como de cabritos e cordeiros puros.

Francisco saiu:
o lobo anteviu
na toca austera.
Perto do covil encontrou a fera
enorme que ao vê-lo lançou-se feroz
a ele. Francisco com tão doce voz,
erguendo a mão,
ao lobo furioso disse: – Paz, irmão
lobo! O animal
contemplou o varão de tosco saial;
deixou o ar arisco,
fechou suas abertas presas lesivas,
e disse: – Está bem, meu irmão Francisco!

Como! – exclamou o santo –. É lei que tu vivas
de morte e de horror?
O sangue e o pavor
que vertes da fuça, o luto e espanto
que espalhas, o pranto
desses camponeses, o grito, a dor
de tanta criatura de Nosso Senhor,
não vão já conter teu ódio infernal?
Vieste do inferno?
Infundiu em teu ser seu rancor eterno
Luzbel ou Belial?
E o lobo, já humilde: – É duro o inverno,
e horrível a fome! No bosque gelado
não achei alimento; e fui atrás do gado
e às vezes comi o gado e o pastor.
O sangue: eu vi mais de um caçador
sobre seu cavalo, levando o açor
no punho; ou no encalço de um javali,
o urso ou o cervo; e mais de um eu vi
manchar-se de sangue, ferir, torturar,
das roucas trompas ao surdo clamor,
quaisquer animais de Nosso Senhor.
E não era por fome, que iam caçar.
Francisco responde: – No homem não existe
fermento nem cura.
Quando nasce vem com pecado. É triste.
Mas a alma simples das bestas é pura.
Desde hoje vais ter

sempre o que comer.
Deixarás em paz
rebanhos e gentes por este país.
Que Deus melifique teu cerne voraz!
— Está bem, irmão Francisco de Assis.
— Perante o Senhor, que ata e desata,
em fé de promessa estende a tua pata.
O lobo estendeu a pata ao irmão
de Assis, que também estendeu a mão.
Foram para a aldeia. Os aldeões olhavam
e no que eles viam não acreditavam.
Com a testa baixa, o lobo matreiro,
seguiu o religioso — quietos andavam —
como um cão de casa, ou como um cordeiro.

Francisco chamou o povo à praça
e lá ele pregou.
E disse: — Aqui tendes uma amável caça.
O meu irmão lobo vai ficar comigo;
jurou-me não ser já vosso inimigo,
e não repetir o ataque sangrento.
Vós todos, em troca, dareis o alimento
para a pobre besta de Deus. — Assim seja!,
foi a voz da aldeia, com o fim da peleja.
E após, em sinal
de contentamento,
abanou seu rabo o bom animal,
e entrou com Francisco de Assis no convento.

Algum tempo esteve o lobo tranquilo
nesse santo asilo.
Suas bastas orelhas os salmos ouviam
e seus olhos rasos d'água ao céu se abriam.
Aprendeu mil graças e trejeitos meigos
quando à cozinha ia com os leigos.
E quando Francisco sua oração fazia,
o lobo as pobres sandálias lambia.
Corria a campina,
saía à rua, descia a ravina,
entrava nas casas e ganhava algo
para comer. Era como um manso galgo.
Um dia, Francisco se ausentou. E o lobo
doce, o lobo manso, bom, o lobo probo,
desapareceu, voltou à montanha,
e recomeçaram seu uivo e sua sanha.
Sentiu-se outra vez o alarme, o temor,
tanto entre os vizinhos como entre os pastores;
preenchia o espanto vila e arredores,
de nada serviam a arma, o valor,
pois não havia prece
que ao furor da besta desse trégua ou paz,
como se tivesse
fogos de Moloch ou de Satanás.
Ao voltar à vila o divino santo,
recebeu do povo só queixas e pranto,
deram testemunho de seu patrimônio
perdido e querelas pois sofriam tanto
com aquele infame lobo do demônio.

Francisco de Assis severo ficou.
Foi para a montanha
ter com o falso lobo carniceiro. Encontrou
a alimária ao pé da toca da sanha.
– Em nome do Pai do sacro universo,
conjuro-te – disse –, ó, lobo perverso!,
a me responder: Por que ao mal voltaste?
Responde. Te escuto.
Como em surda luta, falou o animal,
a boca espumosa e o olho fatal:
– Irmão, fica longe, pois eu não reluto...
Eu estava tranquilo, bem, lá no convento;
à vila saía,
e se algo me davam, ó, contentamento!,
e manso comia.
Mas comecei a ver que em todas as casas
estavam a Inveja, a Sanha e a Ira,
e em todos os rostos ardiam as brasas
de ódio, luxúria, infâmia e mentira.
A guerra era feita irmão contra irmão,
perdiam os fracos, ganhavam os maus,
macho e fêmea eram qual cadela e cão,
e um dia entre todos me deram de paus.
Me viram humilde, pois lambia as mãos
e os pés. Eu seguia teus ensinamentos,
todas as criaturas eram meus irmãos
meus irmãos os homens, meus irmãos jumentos,
as irmãs estrelas, os vermes, irmãos.
E assim, me bateram e mandaram embora.

E as risadas foram como água fervente,
e a fera aflorou, reviveu na hora,
e lobo mau dei de ser de repente;
mas sempre melhor que o povo inclemente,
e recomecei a lutar aqui,
a me defender e a me alimentar.
Como o urso faz, como o javali,
que para viver precisam matar.
Deixa-me no bosque, na penha, no risco,
deixa-me existir fiel à liberdade,
volta ao teu convento, meu irmão Francisco,
segue o teu caminho, e tua santidade.

O santo de Assis ficou a meditar.
Contemplando o lobo num profundo olhar,
e partiu com lágrimas, os olhos sem véu.
Falou ao Deus eterno com seu coração,
e o vento do bosque levou sua oração,
que era: "Pai nosso, que estás no céu...". [*]

Não é uma maravilha?

Cortella – Woody Allen dizia: "O lobo e o cordeiro dormirão juntos. Mas o cordeiro vai dormir com o olho aberto".

Monja Coen – Ótimo!

---

[*] Tradução de Pablo Cardellino Soto. (N.E.)

Cortella – Essa é uma possibilidade. A noção de uma não criação é algo muito forte entre os orientais, especialmente. Já o mundo ocidental, onde a Filosofia se constitui, faz uma distinção entre aquele conhecimento que quer saber *como* e o conhecimento que vai em busca dos *porquês*. A Filosofia só é possível no Ocidente porque não procura o como, mas o porquê. O como é uma outra dimensão. Vou dar um exemplo. Estamos nós dois aqui conversando, quando, vamos imaginar, de repente, tenho um infarto e morro. Caio duro aqui sobre a mesa do nosso diálogo. O primeiro movimento será de perplexidade. Haverá uma perplexidade, um susto, afinal, "o que aconteceu?". O segundo movimento será vir até mim para tentar me fazer voltar. Mas, voltar de onde? As pessoas vão me balançar e dizer: "Volte". Mas de onde? E eu não vou voltar porque não fui para lugar nenhum em tese. Para alguns, eu fui, para outros, não – a vida se organiza um pouco assim. Alguém vai chamar um médico e perguntar: "Por que o Cortella morreu?". O médico vai, então, explicar: "Ele teve um infarto. O coração é um músculo e ele teve um sobre-esforço. Isso pode ser sinal de algum entupimento venoso e aí houve um esgotamento do músculo cardíaco, que fibrilou e rasgou". "Não, o senhor não entendeu a minha pergunta. Eu perguntei por que ele morreu?" "Então, o coração é um músculo e ele não pode fibrilar, porque se houver ali algum tipo..." "Não. Eu quero saber por que ele morreu. Você está me respondendo como". Ora, essa distinção entre o como e o porquê no Ocidente é a marca daquilo que será o campo das Ciências e o campo da Filosofia. A Filosofia vai em busca dos porquês. Eu entendo quando você diz que, ao recebermos uma flechada, pouco importa como ela chegou até nós, mas para a Ciência importa. Já para a Filosofia o que importa é o porquê. Ora, por que isso tem a ver com virtudes e vícios? Porque, em última instância, quando você afirma de maneira bem decisiva e incisiva que o nosso livre-arbítrio é limitado a um percentual bastante reduzido, ainda assim, são esses 5% que decidem tudo.

Todo ser humano tem salvação?

Cortella – Uma das situações mais difíceis que vivi um dia foi coordenando uma conversa entre **Drauzio Varella** e **Nilton Bonder** sobre a maldade. Foram duas horas de conversa. Drauzio Varela, você sabe, é um dos nossos maiores médicos, de uma inteligência especial. E Nilton Bonder, um grande rabino no Rio de Janeiro, é engenheiro de formação e escreveu um livro clássico chamado *A alma imoral*. Drauzio Varella, que escreveu *Estação Carandiru*, ficou mais de 20 anos nessa penitenciária trabalhando como médico voluntário. E, claro, cabe ao rabino lidar no dia a dia com uma elevação do que há de bondoso no humano. No meio dessa conversa, fiz uma pergunta cuja resposta me perturba até hoje. Perguntei a ambos: "Vocês acham que todo ser humano tem salvação? Isto é, todo ser humano pode ser recuperado?". Ou seja, a virtude triunfa ao final para qualquer pessoa ou haverá aqueles que não têm saída? É claro que o rabino na hora respondeu, tal como talvez você, Monja, e certamente eu faria, que a razão e a virtude triunfarão. Penso que todo mundo tem alternativa de melhora. Afinal, eu não seria educador se não acreditasse nisso. Mas o doutor Drauzio disse: "Não, eu não acho. Acho que há pessoas que não têm alternativa. Acho que a maldade é tão presente nelas que não há alternativa". Questionei: "Mas e a

sua postura diante disso como boa pessoa, como um médico?".
Ele respondeu: "Acho que a gente pode ajudar com Medicina a
cuidar do corpo, mas há algumas situações dentro das decisões
das pessoas que são imutáveis". Isto é, nem todo mundo teria
salvação – e não estou falando de salvação no sentido religioso.
Nem todo mundo seria capaz de ir para o caminho do bem.
Eu gostaria de saber o que você pensa disso, Monja, porque é
algo que me perturba há 20 anos.

Monja Coen – Eu fiz um trabalho no Carandiru antes
da sua implosão. Um monge, meu discípulo, quis muito levar
a meditação para o Carandiru e eu fui lá algumas vezes na ala
masculina. Certo dia, recebi um olhar que me cortou, vindo de
um dos pavilhões. Não me lembro de qual, mas era um pavilhão
onde nós não íamos porque havia ali presos muito perigosos.
E eu nunca tinha recebido um olhar tão maldoso em toda a
minha vida. Foi algo que eu desconhecia. Acho que foi isso que
Drauzio viu, um olhar que parecia não ter nenhuma perspectiva
de bondade. Ele estava muito longe, esse homem, eu estava em
outra área. Mas aquele olhar me atravessou. Eu nunca tinha
visto isso antes. E Drauzio conviveu no Carandiru por muitos
anos, em grande intimidade, com alguns desses olhares.

Sobre isso, há duas histórias budistas de que eu gosto
muito. Uma delas é do budismo da Terra Pura, onde ensinam
que "até os bons entram no reino dos céus". Até aqueles que
se fazem bondosos entram na Terra Pura. Ou seja, a Terra

Pura, esse lugar de plenitude, está aberta a todos. Não existe maldade que chegue lá e não se transforme. A outra história é de um homem muito mau, que pisava em tudo, destruía tudo. Certo dia, ele vê uma aranha no chão, mas, pela primeira vez em toda sua vida, desvia-se e não a esmaga. De qualquer modo, quando esse homem morre, vai para o inferno – no budismo também existem céu, inferno e purgatório. No inferno, o homem, como todos que ali estão, sofre muito. Até que ele vê um fiozinho descendo do teto com uma aranha na ponta que o chama: "Venha cá!". Surpreso, o homem olha à sua volta e pergunta: "Eu?". "Sim, você mesmo. Você fez uma boa ação. Você não me matou naquele dia. Então, você pode subir, pode sair do inferno." "Mas o seu fiozinho é tão fino!" "Não importa a finura de meu fio, ele é muito forte, pois uma boa ação tem muito poder." Entusiasmado e apressado para sair do inferno, o homem inicia a subida pelo fio da aranha. Logo, outras pessoas que também estavam no inferno, vendo que havia uma saída, iniciam a escalada. Temeroso de que o fio se rompesse com tantas pessoas penduradas, o homem dá chutes para baixo, empurrando os que tentavam subir. Chutes fortes... o fio arrebenta! Conclusão: uma pessoa má, educada à violência e à grosseria, que só pensa em si mesma e está pronta a destruir qualquer forma de vida, porque odeia a vida em todas as suas formas, tendo sido treinada para isso, e de quem se diz sem salvação, sem recuperação pode ter um momento – talvez por descuido – em que não faça uma maldade. Esse momento de descuido, no qual a pessoa não faz o mal, se torna a possibilidade de sair dos estados prejudiciais de sofrimento. Possibilidade de ascender e de se tornar uma pessoa de bem, como gostaríamos que todas fossem. Uma pessoa cuidadosa, amorosa, compreensiva e não apenas uma máquina destrutiva. Essa última história também faz perceber que, apesar da boa ação, ação poderosa embora de aparência frágil, se ainda estivermos pensando apenas em nossa própria libertação, não teremos sucesso. Sem fazer o voto de beneficiar todos os seres antes de nós mesmos, não é possível sair do inferno.

Cortella – Essa escolha pela privação do bem toma uma rota dupla na nossa conversa. Às vezes parece escolha, às vezes não.

Monja Coen – Será que conseguimos escolher? A possibilidade do livre-arbítrio existe, mas ela é tão pequenina, vai ficando tão reduzida pela maneira como se vive, como se convive, como a mente se alimenta. Como acessamos essas pessoas? Como acessamos essas mentes que se fecharam a qualquer conhecimento? Que se recusam a ouvir? Que se recusam a entender?

Cortella – Às vezes acho, Monja, que isso está ligado à nossa incompetência operativa. É mais uma ausência de instrumental de nossa parte, de todos que lidam com apoio a outras vidas, seja no campo da saúde, da religião, da Filosofia, da educação, do que uma condição. Eu sempre acho que, se tivéssemos mais tempo, conseguiríamos fazer alguma coisa. Quando ouço o seu relato sobre o olhar que a atravessa dentro da penitenciária, assustador, luciferino, tenho duas sensações. A primeira delas é: "Preciso me afastar desse olhar". Já a segunda diz: "Não posso abandoná-lo".

Acredito que a virtude, aquela que a gente pensa como generosidade, magnanimidade, contém a ideia de que não vamos abandonar aquele ser humano. Mas quando chegamos à conclusão – e várias vezes podemos pensar assim, não é que tenhamos isso fechado na cabeça – de que talvez não haja alternativa para algumas pessoas, isso nos coloca uma questão ética. Você e eu somos absolutamente defensores do princípio da vida. Mas, quando se debate a pena de morte em vários lugares, há uma questão sobre a economia de recursos existenciais. Isto é, por que vamos, como sociedade, usar tempo e recursos coletivos com alguém que não tem alternativa? Que direito tem ele ou ela? Essa é uma discussão muito difícil. Porque diz respeito a uma das virtudes de que tratamos, a generosidade.

Monja Coen – Mas não podemos pensar que vamos salvar o outro, porque senão nos separaremos dele. Afinal, eu só reconheço o olhar de ódio porque também o tenho. Se não tivesse, não o reconheceria. Eu reconheci um olhar muito diferente, mas que é um olhar humano. Nós temos a condição de fazer contato e procurar trazer à tona o que não está sendo mostrado, o que o outro está escondendo. Quando alguém nos mostra o lado escuro, o lado sombrio, isso significa que o lado bom está escondido. E vice-versa. Os dois lados não se manifestam simultaneamente.

Cortella – Mas o meu desespero ético, Monja, é este: se chegarmos à conclusão, como sociedade e como formadores de pessoas, de que algumas seguirão e que outras, lamentamos, não têm jeito, nós vamos entrar em algo que se assemelha – não estou dizendo que seja isso – a alguns dos princípios eugenistas que a sociedade já teve. Vários ainda o são, na verdade. Eles têm como fonte a ideia de que há seres humanos nos quais vale a pena investir e outros, infelizmente, que são uma subespécie. Portanto, precisamos lidar com isso, explorar mais a fundo essa percepção porque a conclusão é muito ruim. É o que **Hannah Arendt** chama de banalidade do mal. E uma das coisas que a gente tem como má compreensão do budismo é que ele é uma forma de vida que procura a indiferença ao sofrimento, de si e do outro.

Monja Coen – Não, inclusive, um dos personagens principais no budismo chama-se Kannon Bodisatva, ou Kanzeon Bosatsu, e simboliza a pura compaixão. Kannon Bodisatva observa em profundidade, com clareza sábia, percebe, sente, chora o choro do mundo e se identifica com ele. Sente aquela dor como sendo sua própria dor. E porque a dor do outro é a sua, age para minimizar a dor e o sofrimento no mundo. Portanto, não é indiferente. Existe um estado de indiferença que é necessário, que é a capacidade de observar a realidade como ela é – da mesma forma que um cientista observa o seu objeto de estudo. Entretanto, como seres humanos, vivenciamos a mesma realidade e nos identificamos uns com os outros. A partir dessa identificação, agimos para minimizar a dor e o sofrimento. Não estamos separados de ninguém. O ser humano que sofre é muito parecido comigo porque eu também conheço a dor. Sua santidade, o 14° **dalai-lama**, insiste em dizer que a compaixão nem sempre é visceral. Ela precisa ser treinada e dirigida pela consciência. Nem sempre nos identificamos com o vitimador e este também precisa ser compreendido, acolhido, como vítima de uma sociedade violenta, por exemplo.

> **Nem sempre nos identificamos com o vitimador e este também precisa ser compreendido, acolhido, como vítima de uma sociedade violenta, por exemplo.**

Cortella – Eu entendo a ideia de compaixão. Mas, em certa medida, olhando externamente para algumas das práticas de religiosidade oriental sapiencial, como por exemplo o budismo, pode-se pensar que a apatia, portanto a indiferença ao mundo – não ao outro –, a ideia de que "a vida é assim" traz paz. Porque, conformados, não sofremos.

Monja Coen – Não. A vida é como é. *Nyo Ze Nyo Ze*, as coisas são como são, mas são movimento e transformação. Precisamos ver o que é como é agora, e atuar de forma decisiva. Não é acomodar-se, pois nada permanece o mesmo, tudo é transformação – devemos ser agentes dessa transformação, e não apenas expectadores. Como podemos transformar o lado prejudicial em algo benéfico? Quando percebo o olhar de violência incrível, de rancor, de um ódio que parece não ter fim, ao mesmo tempo, ele é, naquele momento, aquele olhar. Mas, no momento seguinte, ele pode ser outro olhar.

Cortella – Você retoma aí parte da sua conversa com Karnal no livro *O inferno somos nós*. O que acho mais profundo no que você diz é exatamente isto: que você se reconhece ao ver o olhar daquele que traz o luciferino, o separador, o satã, o adversário, o afastador... Não é que você conhece aquele olhar; você o reconhece. Eu já vi esse olhar algumas vezes. Às vezes no espelho, às vezes em outra pessoa... Eu só posso saber o que é aquele olhar porque já o vi, e provavelmente em mim mesmo em algum momento. Uma das coisas mais assustadoras do cristianismo, para mim, é quando os cristãos relatam que Jesus de Nazaré tirava demônios das pessoas. Não quero entrar no campo religioso, pois essa, claro, seria uma outra discussão, mas sim no campo da teologia. Há um momento em que Jesus vai tirar o demônio de uma pessoa, e este se manifesta com uma frase assustadora: "Meu nome é Legião". Isto é, "eu não sou um; sou muitos". E diz a narrativa dos cristãos que saem sete demônios em sequência. Já deve ser difícil estar possuído por um, imagine por sete! [*Risos*] Mas a expressão "meu nome é Legião" é marcante porque nós somos legião. Assusta quando um ser humano nos olha de um modo não humano, mas que é absolutamente humano, porque também somos capazes daquele olhar. Isso nos coloca em posição de pensar que a virtude é a nossa possibilidade de não olhar daquele jeito.

Monja Coen – Exatamente, de treinar o olhar.

Há um poema lindo do monge vietnamita Thich Nhat Hanh, em que ele diz que é a vítima e o vitimador, que a compaixão se manifesta em todos os seres. Nós não somos um só aspecto; somos todos eles. Estamos presentes em todos eles. Certa vez, em Dharamsala, norte da Índia, onde vive atualmente, sua Santidade, o 14º dalai-lama, perguntou para um monge que retornara após ser preso e torturado durante a invasão chinesa: "O que foi mais difícil para você? A fome, o frio, o sofrimento, os abusos, as torturas?". O monge respondeu: "Quase deixei de sentir compaixão por quem me torturava. Disso eu tive medo". Perder a capacidade de sentir compaixão mesmo pelo torturador, mesmo pelo nazista, por exemplo, isso é apavorante.

Cortella – E é dificílimo sentir essa compaixão. Acho que a ideia de generosidade nesse ponto não é que ela tenha um limite, mas esbarra naquilo que os gregos antigos chamavam de *diké*, justiça.

Monja Coen – Vamos voltar para o menino no Carandiru de que falei. Posso sentir compaixão por ele. Por pior que seja seu olhar, o meu movimento de compaixão deve ser o de me aproximar e perguntar: "O que houve? O que está acontecendo? Compreendo você. Estamos juntos. Estou presente para você". Entretanto, não é fácil. Como sentir compaixão por alguém que está com ódio? Por alguém que pode vir a querer matar? Dizemos no budismo que compaixão é aquilo que é capaz de impedir o outro de matar, porque sentimos, invocamos e nos tornamos pura compaixão, sem nenhum medo. É quando não somos controlados nem pela raiva nem pelo medo, não temos nada a temer, nada a defender, nada a proteger, pois nossa mente se torna a mente de compaixão e o outro deixa de ser um inimigo, deixa de ser uma ameaça e se torna um ser humano a ser compreendido, acolhido.

Cortella – Ter compaixão por quem por nós não tem é uma possibilidade de escolha. Mas ter como obrigatoriedade que só devemos sentir compaixão por quem também a sinta por nós, isso não é virtuoso; é uma regra de reciprocidade. Mas será que devemos ter compaixão por alguém que é um carrasco, um homicida? Sim, inclusive, por ele ser como é. Mas isso não significa que devamos esquecer o que ele fez.

Monja Coen – Inclusive, porque ele é vítima de uma sociedade de violência, vítima de inúmeras causas e condições, como todos nós. Portanto, ele não é especialmente mau em si, embora tenha feito essa escolha. E podemos sentir compaixão por alguém que fez uma escolha que nós não faríamos, mas cujas causas e condições de vida fizeram com que ele fizesse. Eu, por isso, quero o bem dele, não o mal.

Cortella – Eu ainda não... [*Risos*]

Monja Coen – Eu não o odeio. A ação, a atitude, o sentimento de ódio e raiva são desnecessários. Por que retribuir violência com violência? Isso apenas mantém o ódio aceso. Devemos esquecer? Não. Não se trata disso. Mente saudável não esquece, apenas coloca de lado, arquiva. Podemos lembrar e procurar compreender, evitar que algo se repita.

Estamos vivendo momentos de grande polaridade: se a outra pessoa não pensar como nós, passaremos a odiá-la imediatamente e a excluiremos de nossas redes sociais, de nossos relacionamentos. Será que devemos destruir uma pessoa porque ela abala o personagem que criamos para nós mesmos? Não deveria ser assim. Uma outra forma de ser não necessariamente abala a nossa forma, pelo contrário, nos enriquece. Fortalece a capacidade de demonstrarmos o nosso ponto de vista, o nosso olhar ou até mesmo de mudarmos de olhar e ponto de vista. Todos podemos mudar.

Cortella – O mundo católico diz que não devemos odiar o pecador, e sim o pecado. Mas eu ainda não sou capaz de amar um nazista, por exemplo.

Monja Coen – Mas não é amar.

Cortella – Será que sou capaz de sentir afeto por um nazista? Posso eu pensar como Terêncio: "Nada do que é humano me é estranho". Posso eu ver naquela pessoa que é malévola aquilo que nela deixou de ser e que um dia o foi. Porque é provável que ela não tenha sido sempre malévola. É provável que ela tenha sido uma criança que correu pelo campo, que deu risada, que rolou com o cachorro... E eu tenho compaixão pela perda, por aquilo que desumaniza uma pessoa, aquilo que a faz com que seja capaz de diminuir em si própria a humanidade que ela precisa ter. Mas isso não significa que eu não queira justiça, como sei que você também não.

> Eu tenho compaixão pela perda, por aquilo que desumaniza uma pessoa, aquilo que a faz com que seja capaz de diminuir em si própria a humanidade que ela precisa ter. Mas isso não significa que eu não queira justiça.

Monja Coen – Querer justiça não é vingança ou raiva de alguém; é criar possibilidades para que ele se reeduque. Também serve para evitar a repetição do erro ou de que outros façam o mesmo. Transformar a raiva em compaixão é uma prática que estimulamos. Não querer o extermínio é o preceito de não matar. Eu não acredito na pena de morte.

Cortella – Eu também não.

Monja Coen – A compaixão é a intenção de rever e dar oportunidade a qualquer criatura, mesmo que todos digam: "Essa pessoa não tem jeito, vai ficar presa o resto da vida". *O.k.* Vamos, então, dar condições para que no resto da vida ela possa mudar.

Cortella – Eu e você, Monja, somos avessos à pena de morte na convicção de que a vida é um bem tão magnífico que ela não pode ser tirada. Tanto que quem a tirou e, por isso, está condenado fez algo que não deveria fazer. E não é porque ele fez que nós com ele também faremos. Bom, o mais difícil nessa questão é quando há pessoas que acham que a pena de morte é um alívio, e não um castigo. E que, portanto, é preciso, sim, que um homicida passe muito tempo atrás das grades para ele sofrer. Portanto, o que às vezes move essa concepção tem esse outro sentido. **Pedro Nava**, que foi um dos maiores memorialistas brasileiros, dizia: "Eu não tenho ódio. Eu tenho memória". Eu sempre digo que o único sentimento que não tem apagamento é a decepção. Porque podemos ficar tristes e isso passa. Podemos ficar com raiva e isso passa. Podemos ficar irritados e isso também passa. Mas a decepção não passa. Ela é um sentimento que podemos até perdoar, mas não esquecer. Quando nos decepcionamos com alguém, com alguma coisa, não tem fim.

Monja Coen – O **professor Hermógenes** dizia que estava criando uma nova religião, que chamava *desilusionismo*.

Se tivemos uma desilusão com alguém, é porque tivemos uma expectativa de alguém ou de um relacionamento e ela falhou. Por que não percebemos isso antes? Onde estávamos que não vimos? Foi uma decepção porque houve uma expectativa. Mas podemos treinar a habilidade de reconhecer o não eu, o eu que não espera nada, o eu que faz por fazer. Se não tivermos retorno, "puxa, que interessante, vamos ficar espertos numa próxima oportunidade". Não adianta ficar parado lá atrás. Adianta ficar pensando naquilo que aconteceu ontem, anteontem, há dez dias? Não adianta. Foi, acabou. Acabou e deixou uma experiência, que pode não ter sido agradável. Confiamos, acreditamos e nada aconteceu. Puxa, que pena! Mas as pessoas e as circunstâncias mudam. Nesse processo, não há nada estagnado nem congelado. Por que, então, congelamos algo em nós? Por que congelamos uma memória prejudicial e negativa e a chamamos sempre de novo? Ela já aconteceu. Já doeu. Isso não é esquecer, é deixá-la como referência para que não se repita.

Cortella – Eu digo que precisamos ter cuidado para não ficar fazendo autópsia o tempo todo.

Monja Coen – Sim. A flecha já entrou. Já doeu. Agora, podemos ficar apertando a flecha: "Como doeu, como fiquei decepcionado, que decepção eu tive...". Tivemos uma decepção? É porque não estávamos espertos, ou melhor, despertos, atentos, presentes, conscientes. Não percebemos antes do acontecido, por quê? Por que não percebemos os sintomas que estavam ali se manifestando?

Cortella – Numa conversa sobre virtude, no fundo, a minha pergunta é para imaginar até onde vai a minha generosidade. Isto é, serei eu generoso a ponto de perdoar sempre? Ou há coisas que são imperdoáveis?

Monja Coen – Mas quem perdoa? Perdoar significa estar acima: "Eu, ser bom e perfeito, vou perdoar você, o pecador". Quem perdoa quem? Eu posso *compreender*, a diferença é essa. Eu não perdoo, nem deixo de perdoar ninguém. Eu posso entender por que uma pessoa se manifestou de determinada forma. E eu não percebi que ela ia se manifestar dessa maneira? Eu não tomei o cuidado necessário para que isso não acontecesse? Seria eu corresponsável pelas atrocidades do mundo? Ou será que me recorto da realidade e me considero independente da vida como está sendo vivida pela humanidade?

Cortella – Mas a gente não costuma dizer: "Você é muito generosa, perdoa a tudo e todos"? Ou: "Seja mais generosa, perdoe"?

Monja Coen – Compreenda, eu diria.

Cortella – Mas compreender é diferente de aceitar.

Monja Coen – É como é. Compreender é perceber a realidade assim como é, as pessoas assim como estão se manifestando. Se a pessoa só tem isso para dar, o que fazer? A minha superiora no mosteiro de Nagoia, no Japão, onde fui praticante por oito anos, Shundo Aoyama Docho Rôshi, nos contou em uma palestra que, durante a Segunda Guerra Mundial, ela foi pedir esmolas com outras monásticas. Pararam em frente a uma loja solicitando qualquer doação que fosse. Mas, da janela de cima, um senhor muito bravo, jogou um balde de água suja sobre elas. Minha superiora, ainda uma adolescente, apenas agradeceu e comentou: "Era tudo o que ele tinha para dar". Portanto, não precisamos ficar parados naquele momento da água suja, de algo que foi desagradável. Não seria adequado insultar o homem, blasfemar, então, minha superiora apenas fez a prece do agradecimento: "Quem oferece, o que é oferecido e quem recebe, todos são vazios de uma identidade fixa e permanente. Cada um e todos são necessários para que haja uma doação".

Outro exemplo: alguém sente que perdeu uma pessoa amada. Na verdade, se olhar em profundidade, verá que não perdeu. Pelo contrário, conviveu e amou. Talvez tenham tido vivências maravilhosas. Por que não se lembrar, então, das coisas boas? Por que só lembrar da morte? Claro que não nos esquecemos de quem morreu antes de nós. Mas, ah, que boas memórias nos deixou! Mesmo um pequeno feto, que tenha vivido algumas semanas.

Não se lastimar é o caminho da sabedoria que afasta todos os males. Se vamos comer uma fruta e percebemos que metade dela está estragada, podemos comer a parte boa e colocar a outra de lado, usar como adubo, e, provavelmente outras frutas maravilhosas virão.

Será que vamos lembrar apenas de como foi ruim encontrar uma parte podre? Precisamos ter atenção suficiente para não comer o podre, mas não podemos nos deter tanto àquilo que não foi benéfico.

Não se lastimar é o caminho da sabedoria que afasta todos os males.

Cortella – Agostinho dizia que, dentro de uma cela, há dois tipos de prisioneiros: o preso que passa o tempo todo olhando para o chão, imóvel, e o preso que fica olhando para além das grades dizendo "eu vou sair". Ambos têm escolha.

Perceber o outro

Cortella – Fala-se muito hoje de uma virtude que é a tolerância. **Leonardo Boff**, que tem até uma série de livros chamada *Virtudes para um outro mundo possível*, costuma dizer, usando uma frase mais antiga, que é preciso ser intolerante com os intolerantes. Porque a tolerância tem um limite, que é a intolerância. Isto é, pessoas intolerantes não podem ser toleradas. Eu não gosto tanto da palavra "tolerar", porque ela me parece um pouco pedante, quase como se fosse uma autorização que damos para que o outro não seja como nós. É como se eu dissesse: "Olhe, Monja, você está autorizada a ser do seu jeito. Eu não vou ligar para isso. Você está errada, mas seja como quiser". A própria noção etimológica de tolerar significa suportar, aguentar: "Se você não pensa como eu, não segue a minha religião ou não tem religião, não tem a mesma orientação sexual, a mesma ideologia, a mesma cor da pele que eu, tudo bem, eu aguento". Por isso, gosto de uma outra palavra – essa, sim, eu acho que é uma virtude –, que é acolhimento. Porque, quando toleramos, isso significa que aguentamos que o outro seja como é. Mas quando acolhemos, trazemos o outro para dentro de nós, e não como um estranho. A ideia de tolerância é um conceito operacional no campo da ética. **John Locke** escreveu sua *Carta acerca da tolerância* num mundo britânico que tinha uma finalidade muito direta naquele momento, pois o mundo reformado, especialmente o anglicano, confrontado com o católico-romano, estava atrapalhando os negócios. Como capital não tem pátria nem religião, um livro bom sobre tolerância vai possibilitar que a harmonia permita os negócios.

Embora a ideia de tolerância sirva para lidarmos com a capacidade de convivência, ainda assim acho que é um conceito um pouco vicioso. Eu gosto, repito, da ideia de acolhimento. É a noção do *namaste*,[*] da inclinação da mente ou do corpo que faz com que eu receba você em mim como um outro e não como um estranho. Acho que a ideia de acolhida é extremamente virtuosa.

Monja Coen – A minha superiora foi uma vez à Índia ajudar o grupo de **madre Teresa de Calcutá**, e ficou num hospital cuidando da higiene dos doentes. Lá, havia uma portinha, por onde as irmãs faziam doações aos pobres pela manhã. Um dia, pediram que a minha superiora fosse ao lado de fora se refrescar, pois ela suava muito, estava muito cansada. E havia uma multidão ali fora, esperando pelas doações. Só que elas haviam sido feitas mais cedo e nada mais havia a ser compartilhado. Quando viram minha superiora sair, todos

---

[*] Saudação utilizada especialmente entre os orientais em sinal de respeito ao outro. (N.E.)

começaram a gritar e a pedir coisas, estendendo as mãos, mas ela não tinha nada para dar. A única palavra que ela sabia era *namaste*. Ela pensou: "A única coisa que tenho para dar a eles é o reconhecimento da sua presença. Eu os reconheço humanos e sagrados". *Namaste*, ela exclamou em voz alta, olhando a todos e com as mãos em prece. Todos os pedintes, imediatamente, colocaram as mãos palma com palma, respondendo *namaste*. Isso é doação. Ela não tinha nada que pudesse dar a eles naquele momento, mas lhes deu a própria presença, o olhar que os reconhecia humanos, semelhantes.

Cortella – Magnífico! A noção do *namaste* como comunicação de uma força que flui não precisa ser religiosa; ela pode ser uma convicção. Aquele que tem isso é generoso. É aquele que doa doando a si mesmo. E doa porque ele quer receber.

Durante muito tempo, o cristianismo esteve fortemente marcado pela ideia de misericórdia, embora ela não seja uma das três virtudes. Haja vista que o mundo cristão, especialmente o católico, fundou muitas instituições chamadas "Santa Casa de Misericórdia". Também o mundo reformado fundou os hospitais evangélicos, os hospitais Samaritano. Isto é, a ideia de centros de cuidado com o miserável, aquele que seria um "menos", um prejudicado. Pois bem, o que sempre me chamou atenção nisso é que, em princípio, a misericórdia colocada como uma virtude seria a capacidade de não fustigar a outra pessoa. Isto é, de não diminuir a capacidade dela de vida. Mas a misericórdia não tem o mesmo sentido de generosidade. Por exemplo, a gente costuma dizer que o bandido de hoje não é misericordioso. Ele não tem pena, liquida a vítima sem nenhuma misericórdia. Já em outros tempos, diríamos que até o bandido é misericordioso. Ora, sem desprezar a importância disso, a noção de misericórdia está mais ligada a algo que eleva aqueles que são capazes de uma doação do que à percepção de generosidade, no meu entender. Portanto, receber, acolher aqueles que não têm eira nem beira contém a ideia de que fazemos isso porque somos bons. E é claro que podemos dizer que somos bons porque fazemos isso, e que o fazemos porque isso nos torna bons. Ou que somos bons porque, ao nos considerarmos bons, achamos que os bons fazem isso. **Dom Hélder Câmara**, um homem magnífico, dizia: "Quando eu falo em caridade, me chamam de religioso; quando eu falo em justiça, me chamam de comunista". Eu penso que as casas de misericórdia entendem o outro como alguém que sofre como todos nós e, por isso, precisamos ajudá-lo quando ele sofre. Mas eu acho que o fundamento mesmo é a ideia de generosidade.

Monja Coen – O mais importante no que você acaba de dizer é reconhecer o outro como nosso semelhante. Reconhecer a dor do outro como nossa, não porque estaríamos numa posição superior em relação a ele. No budismo, em geral, a prática da compaixão, que é "estar junto com" e não "separado de", é muito importante. Compaixão e sabedoria são os alicerces principais de toda a tradição budista. Compaixão sem sabedoria pode não beneficiar realmente. Sabedoria sem compaixão é insuficiente.

Nunca estamos acima de outras pessoas, de outros seres. Pode ser que talvez possamos dar algo que eles não tenham no momento, e vice-versa. Esse algo não precisa ser apenas coisas materiais. Oferecer sabedoria é o portal principal para a libertação dos seres humanos. A ação é importante. Assim o fazemos porque nos identificamos com o outro. Não porque possamos nos sentir melhor que ele, não porque estejamos bem e o outro, não. Mas porque reconhecemos a sua dor e compartilhamos dela. Esse compartilhar é o "estar junto". Hoje, fala-se muito "vamos juntos", "estamos juntos". A compaixão é isto: estar junto, para o bem e para o mal, na alegria e na dor.

Cortella – Não sei como é hoje, não tenho essa experiência recente como você, Monja, mas o que me espantou bastante na minha primeira visita ao Japão foi o tratamento das pessoas ao morador de rua. O mendigo não era alguém a quem se oferecia algo. Não havia um olhar de contribuição, mas de invisibilidade. Era quase como se fosse uma ofensa que o mendigo existisse. Outro dia, li uma matéria no jornal que dizia que os japoneses têm respeito pelo morador de rua porque entendem que aquela é uma *escolha* dele. Mas ele não é admirado, porque é visto como alguém que fracassou naquilo que é a convivência, a capacidade de riqueza.

Eu venho de uma região do Paraná onde a formação nipônica era fortíssima. Até cinco anos de idade em Londrina, que era a minha cidade, eu não tinha nenhum vizinho que não fosse japonês. Até essa idade, eu achava que todo mundo era japonês.

Monja Coen – Eu, no Japão, me achava estranha quando me via no espelho...

Cortella – Eu só não acho porque tenho os olhos meio puxadinhos... Mas eu sempre achei que isso fosse por influência deles, dos meus vizinhos. Embora, para os meus filhos, eu contasse uma lenda sempre que eles me perguntavam: "Mas, pai, por que você tem o olho fechado?". Eu respondia: "Porque, quando tinha dez anos, eu trabalhava fritando pastel para ajudar a família, e ficava com o olho semicerrado por causa da gordura que espirrava!". [*Risos*] É claro que essa é uma lenda que, repetida agora, pode ganhar ar de verdade. Mas, por que estou contando isso? Porque nunca vi na minha vida um mendigo japonês. Em Londrina ou em São Paulo.

Monja Coen – Mas, em São Paulo, o que a comunidade japonesa fez? Ela recolheu todos os mendigos. E deu a eles trabalho, função, casa ou abrigo. Houve um que não quis ajuda, mas não aceitava esmola também. Era um homem de um certo nível intelectual, que disse: "Eu não saio da rua. Eu não compartilho dessa sociedade, eu não faço parte dela". Não sei se ele ainda é vivo.

Cortella – Eu não quero, obviamente, desmerecer o gesto de quem recolheu todos os mendigos e ofereceu trabalho a eles, mas, como alguém da área de Filosofia, tenho interesse em saber o que moveu as pessoas a fazê-lo. Foi a generosidade? Ou foi algo que é um princípio muito forte entre os orientais, que é a vergonha de ter alguém da sua comunidade, facilmente identificável por conta do formato dos olhos, morando na rua?

Monja Coen – A educação no Japão é muito voltada ao comunitário, à ideia de que somos um grupo, de que primeiro cuidamos do país, do nosso trabalho e, por fim, da nossa família e de nós mesmos. A nossa educação é o contrário disso: primeiro vem o indivíduo, depois a família, o emprego etc. Lá, é exatamente o oposto, então, a comunidade, aqueles que convivem conosco são mais importantes do que nós mesmos. E cabe a nós cuidar deles. Aí entra um pouco a ideia da polidez, de ser educado, de ajudar. Não porque somos bons, não porque sentimos esse impulso, mas porque é adequado, politicamente correto que nos manifestemos dessa forma. Os japoneses podem pensar: "O meu grupo é de descendentes de samurais, pessoas de muita dignidade, de muita honra e não posso deixar o meu irmão, que é igual a mim, ficar na rua. Então, vou recolhê-lo". Acho que a vergonha faz parte, mas é muito difícil afirmar que seja apenas esse o sentimento.

Agora, é preciso lembrar também que os japoneses passaram por situações muito difíceis na vinda para o Brasil. O pai de um senhor que eu conheço era advogado e jornalista em Tóquio, e veio para o Brasil à procura da riqueza que rolava pelas ruas. Acabou indo trabalhar na lavoura e sofreu muito nessa condição.

Cortella – Gosto da ideia da honra como esforço. A sociedade nipônica, em grande medida, tem uma valorização do esforço que é muito superior à nossa. É virtuoso o ganho vindo com esforço. Nós trabalhamos com um conceito que não é muito usual entre os orientais, especialmente na cultura japonesa, que é a noção de sorte, de enriquecimento súbito e veloz, da vida como loteria que, de repente, nos brinda com a chegada imediata daquilo que vai fazer com que o esforço não seja mais necessário.

A marca da ideia de alguém que doa porque acha que o outro precisa, ela é generosa. Mas não podemos esquecer que, quando doamos, nós nos elevamos. E eu não tenho clareza, Monja, se essa elevação é na vertical ou na horizontal. Obviamente, não existe elevação na horizontal, mas falo de uma expansão de si. Eu vou usar uma palavra de que gosto e que serve para a generosidade. Para mim, a generosidade é *transbordante*. Quando colocamos água num copo, ela se conforma a ele. Ela fica aprisionada pelo copo. E água parada fede. Água parada não irriga, não fertiliza... Só quando permitimos que ela transborde, que vá além da borda, é que conseguimos fazer com que isso ganhe vitalidade. E acho que a generosidade é um transbordamento. É quando não cabemos em nós mesmos, quando precisamos fluir para fora de nós. Fluir para outras pessoas de maneira que a gente se conecte é generoso. Penso, portanto, que a generosidade é esse transbordamento em que fluímos em direção a outra pessoa, saímos da nossa própria borda e estilhaçamos aquilo que é a nossa barreira interna. Até por isso acredito que a polidez seja só um pedaço do nosso modo de educação.

Monja Coen – Conheço uma senhora, professora de cinema, que tem mais de 80 anos. Ela estava num ônibus e alguém se levantou para lhe dar o lugar. Ela questionou: "Por quê? As minhas pernas ainda me sustentam muito bem". Por isso, precisamos estar sensíveis à necessidade do outro. Se estamos muito presos a nós mesmos, a um só padrão de treinamento, acreditamos que precisamos nos levantar para uma pessoa, mesmo quando ela não quer que façamos isso. Afinal, ela pode estar feliz em ficar em pé para exercitar as pernas. Pensar "eu sou jovem e mais forte, por isso, posso ficar em pé, ao contrário de você, que é idosa e, portanto, precisa se sentar" pode ser ofensivo ao outro.

Cortella – Há uma inversão nisso. Até há algum tempo, uma senhora ou um senhor mais idoso, se oferecido o lugar, entenderia isso como uma gentileza, e não como uma ofensa.

Hoje, pode pensar: "Você está me chamando de velho?". De onde vem a ofensa? Ora, a sinalização internacional da pessoa com mais idade – e eu converso sobre isso com **Terezinha Rios** no livro que fizemos juntos, *Vivemos mais! Vivemos bem?*[*] – é sempre alguém precário, agachado com uma muletinha, curvado... Até na sinalização, portanto, o idoso é alguém privado de uma condição. É claro que isso vai se alterando. Até há cinco anos no Brasil, no embarque aéreo, por exemplo, havia três filas: a dos privilegiados por lei – o idoso com 60 anos ou mais, a mãe com a criança no colo, a pessoa com alguma deficiência –, a dos privilegiados economicamente, isto é, com cartão fidelidade, e a dos outros humanos. Agora, existe uma quarta fila, prioritária, para quem tem 80 anos ou mais.

Monja Coen – Eu fiquei tão feliz quando fiz 70! Agora estou para trás de novo...

Cortella – Não havia essa fila antes. Por quê? Porque, conforme avançamos a nossa longevidade, a ideia de oferecer uma fila a quem tem a partir de 60 anos se torna meio óbvia. Em grande medida, essa também é uma questão no tema das virtudes em geral: qual é o limite delas? É a sua possibilidade ou a sua crença?

A virtude pode ser ou não favorecida conforme as circunstâncias. De maneira geral, a carência intensa pode ser coibidora da conduta virtuosa.

---

[*] Campinas: Papirus, 2013. (N.E.)

Por exemplo, devemos oferecer lugar na fila do campo de refugiados onde o pão está sendo distribuído e ficar com fome enquanto o outro se alimenta? Ou, no exemplo clássico de um transatlântico que afunda e no qual não há botes e coletes salva-vidas para todos, devemos dizer: "Pode ir na minha frente. Eu morro sem problemas, da 'próxima vez' você me oferece o seu lugar"? A virtude, portanto, pode ser ou não favorecida conforme as circunstâncias. De maneira geral, a carência intensa pode ser coibidora da conduta virtuosa.

Monja Coen – Algumas vezes, a virtude acontece mesmo assim. Por exemplo, o treinador que estava com os meninos presos na caverna na Tailândia.[*] Ele não se alimentou. Mesmo fragilizado, ele ficou em jejum e deu a comida que tinha para os meninos. E soube ensiná-los a meditar e a acalmar a respiração para aguentar o tempo que fosse necessário até que pudessem sair de lá com vida. No Japão, quando houve o tsunâmi,[**] um caso muito contado foi o de um soldado norte-americano que viu um adolescente numa fila para receber alimentos e roupas e lhe deu um casaco. O menino ficou muito envergonhado por ter sido privilegiado, já que estava no fim da fila. Ele foi até o

---

[*] Em junho de 2018, 12 meninos de um time de futebol e seu treinador ficaram presos numa caverna na Tailândia por quase 20 dias, após fortes chuvas inundarem o local. (N.E.)

[**] Em março de 2011, um tsunâmi atingiu o litoral japonês, deixando quase 20 mil pessoas mortas ou desaparecidas. (N.E.)

início da fila, entregou o casaco para quem fazia a distribuição das doações e voltou para o seu lugar. Portanto, existe algo nessa polidez de que estamos falando, nesse treinamento, que pode se tornar verdadeiro. Porque, num momento como esse, de imensa necessidade, em que as pessoas só podiam pegar poucos itens no supermercado, por exemplo, ninguém saqueou nada. Descobriram até dinheiro no meio da lama e ninguém o roubou. Portanto, existe algo muito bonito nesse pensamento do coletivo que acho que podemos pensar como uma virtude em si. No Japão, isso tem o nome de *kokoro*, ou *shin*, que significa essência, mente, espírito. É o espírito verdadeiro que nós chamamos no budismo de espírito do bodisatva, daquele que tem a virtude manifesta. E ela será manifestada no momento necessário. Podemos ser polidos no dia a dia com apenas um pequeno pedaço de nós. Mas esse pedaço pode se tornar tão profundo, passando de geração em geração, que, num momento de necessidade, não vamos tirar proveito da situação, porque reconhecemos o outro com a mesma necessidade que a nossa. O que acho mais bonito nessa história do adolescente que entregou o casaco foi que ele não queria privilégios. Ele não queria ser atendido na frente de outros porque era um adolescente. Afinal, havia muitas pessoas na fila e todas estavam sofrendo. Eu percebo que em hospitais as pessoas são muitos generosas. Elas se cumprimentam nos elevadores, conversam – coisas que às vezes não fazem onde moram, com os vizinhos. Por quê? Porque todos ali no hospital estão em sofrimento. O sofrimento nos coloca em *humus*, em humildade e equidade. Mas será que nós precisamos só de muito sofrimento para realmente sermos verdadeiramente generosos?

Cortella – Quando **Tolstói** abre *Anna Kariênina* com a clássica frase: "Todas as famílias felizes são iguais. As infelizes o são cada uma à sua maneira", ele levanta a possibilidade de o sofrimento ser algo muito específico, mas que acaba nos dando uma identidade, sim. Acho que a catástrofe nos agrega porque ela nos coloca em percepção de que qualquer um de nós poderia estar naquela situação. E alguns estão. Humanos, somos muito curiosos. Dificilmente um ser de outro planeta entenderia alguns movimentos nossos em relação àquilo que entendemos como virtuoso. Millôr Fernandes brincava dizendo que a prova de que existe vida inteligente fora da Terra é que ninguém nunca veio aqui. Nós somos generosos até na guerra! Dificilmente alguém entenderia isso. A Convenção de Genebra, que regula os atos de guerra na humanidade e como se pode extinguir a vida de uma pessoa, estabelece o que está autorizado ou não a fazer com um prisioneiro de guerra. Isso parece algo irracional, mas tem uma marca que pode ser entendida como virtuosa. Por exemplo, não se pode atirar num paraquedista enquanto ele estiver no ar. Isso é contra as leis internacionais de guerra. Supõe-se que o paraquedista, descendo, está indefeso, mas, no momento em que ele coloca o pé no chão, aí pode ser morto. Podemos acompanhá-lo com a arma enquanto ele está no ar, mas atirar, não, porque isso é imoral. Somente quando ele bate o pé no chão, podemos fuzilá-lo. O assassinato pode ser legal e ético de vários modos: o uso da força autorizada, daquilo que a polícia sabe como autoridade, a capacidade de tirar a vida do outro com a pena de morte, ou de prendê-lo. Nós regulamos isso.

Fazer por merecer

Cortella – Monja, você se lembra d'*O resgate do soldado Ryan*? É um filme maravilhoso, com **Tom Hanks**. Os primeiros minutos são insuportáveis, porque mostram a guerra como ela é. **Spielberg**, que é o diretor, não escondeu nada do que foram jovens de 18, 19 anos desembarcando numa praia, durante a Segunda Guerra, e sendo atingidos por morteiros, bombas, balas. É um filme agressivo, assim como a vida também é. E a história é a seguinte: o enredo, baseado em um antigo costume da legislação norte-americana durante a Guerra Civil, diz que os pais de um soldado não podem ficar desamparados. Se uma família tem quatro filhos e três deles morrem em combate, o quarto é dispensado e levado para casa para cuidar dos pais. É o que acontece com Ryan. Ele é um jovem soldado, cujos três irmãos morrem na guerra. Por lei, desloca-se um pelotão, uma patrulha para buscá-lo e levá-lo de volta para casa. Essa patrulha é comandada por um capitão interpretado por Tom Hanks. Como esse é um filme bastante conhecido, não é *spoiler* contar que o soldado Ryan é resgatado, mas, por conta disso, vários outros soldados morrem. Assim como morreu um dos mergulhadores que tentavam resgatar os meninos da caverna na Tailândia. Poderiam ter morrido outros. Assim como morreram cerca de 400 bombeiros no atentado às Torres Gêmeas, em

Nova York, tentando salvar vidas. Ora, o mais bonito do filme – porque é uma das questões mais incômodas e que está ligada à virtude – é que, antes de morrer, após ser baleado, o capitão chama Ryan – que é aquele por quem outros já morreram – para perto de si e lhe diz: "Faça por merecer". É assustadora essa frase. A última cena do filme mostra Ryan, já idoso, com a família atrás, num cemitério de militares, onde obviamente só há cruzes, e não corpos. E ele bate continência em frente ao túmulo do capitão. A esposa de Ryan se aproxima e ele pergunta: "Eu fiz por merecer?". Ela responde: "Sim, você foi um homem bom".

Acho interessante essa ideia. O que significa fazer por merecer? É fazer por merecer a vida, o sacrifício dos outros, os próprios dons. Eu acredito que a generosidade é a devolução daquilo que ganhamos, e acho que temos que fazer por merecer. As virtudes, de modo geral, são a maneira de fazer por merecer. Merecimento, do latim *merere*, significa aquilo a que se tem direito. Mas me assusta muito quando, sozinho, penso se eu mereço, se estou merecendo...

Monja Coen – Será que vivemos pela meritocracia ou não? É adequado achar que temos méritos ou não? Merecemos ou não a vida? Voltamos para a ideia do carma, na verdade. Quer dizer, as causas e as condições que foram criadas para que algo se manifestasse de determinada forma e o que fazemos com isso. O tempo todo causas e condições criam uma certa circunstância. Mas sabemos usá-las de forma adequada? Elas nos dão oportunidade de vida, mas estamos vivendo com plenitude ou desperdiçando, isto é, jogando fora aquilo que deveria ser usado de forma adequada?

Cortella – Mas o carma permite que sejamos virtuosos? Ou ele é uma condição sobre a qual não temos controle?

Monja Coen – Não, não é. E essa é a confusão que se faz, como se o carma fosse algo fixo e predeterminado. Nem sempre. Há vários tipos de carma: individual, social, coletivo, familiar, de retorno imediato, de retorno posterior, de retorno muito posterior. Ele está diretamente ligado à lei da causalidade. São necessárias causas e condições específicas para que algo se manifeste. Quando as manifestações se tornam repetitivas, ou com tendência a se repetirem, dizemos que se criou um carma. Este pode ser benéfico, neutro ou maléfico. Estamos todos sujeitos à lei das causas e condições, mas o que fazemos com elas? Aqui entram os 5% de livre-arbítrio, o merecimento ou não. Por exemplo, algumas pessoas pensam que doença é um carma. Não exatamente. O carma não é a doença; é como se lida com ela, o que se vai fazer a partir disso. "Eu fiz coisas más e agora nasci pobre, na periferia, tenho doenças graves porque esse é meu carma de vidas anteriores"? Não. Doenças existem, fazem parte da natureza da vida.

O budismo tibetano é reencarnacionista. O mérito, a generosidade, a bondade, enfim, a virtude de cada um de nós viria, então, de uma vida anterior. Sua Santidade, o 14º dalai-lama, é considerado a reencarnação do dalai-lama anterior. Como ele foi esse ser tão bom, reencarna para dar continuidade ao seu trabalho. Ou seja, por ter sido quem foi, ele é quem é. Mas nem todos os budistas acreditam nisso.

> **O que fomos não é importante, e sim o que estamos fazendo agora. Neste agora, como estamos construindo o daqui a pouco?**

No budismo japonês, ninguém é monástico por acreditar que foi monge ou monja em uma vida anterior. Não se nega essa possibilidade, mas ninguém sabe o que foi em outras vidas, nem se houve outras vidas, visto que esta vida é um instante fenomenológico único. O que fomos não é importante, e sim o que estamos fazendo agora. Neste agora, como estamos construindo o daqui a pouco? O que falamos, fazemos e pensamos transforma a teia da vida, as causas e condições e participa da construção do que virá a ser.

Cortella – Você não acha que a ideia de reencarnação ameniza a prática da vida virtuosa? "Não deu nessa, dá na outra"?

Monja Coen – Na minha ordem, esse pensamento de deixar para a próxima vida é considerado um erro. Nós, monásticas, não agimos preocupadas com a próxima encarnação. Não devemos ser boas pessoas pensando em ganhar algo em troca ou porque numa próxima existência algo bom deverá acontecer por isso. É claro que tudo está interligado. Se criarmos boas causas e condições, teremos bons resultados.

Devemos fazer o bem a partir da identificação, da empatia com o outro, do coração como cerne do nosso eu verdadeiro. Ações devem ser realizadas através da pura compaixão. E a compaixão só surge se houver sabedoria. A sabedoria é o portal da virtude, é o portal de uma vida ética. É aquilo que faz com que compreendamos o que está acontecendo, com que saibamos lidar com a nossa própria mente para fazer escolhas. A sabedoria pode e deve ser cultivada. Para cultivá-la, podemos começar imitando, assim como uma criança imita os adultos para falar. É por isso que insisto na importância da imitação. Por exemplo, lemos alguns autores, tomamos aquilo que achamos bom para nós e formamos uma maneira de pensar e de ser. Ou seja, criamos a partir do que já existe. Nós imitamos, copiamos e criamos novos personagens, a partir de colagens de vários outros que escolhemos. Aqui funcionam os 5% de livre-arbítrio. Ao caminhar, escolhemos a virtude ou a não virtude.

Cortella – Uma das coisas mais interessantes em relação à vida virtuosa é ela ser, no meu entender, resultado de escolha. Se ela resulta da nossa escolha, é sinal de que a fizemos por desejá-la e não porque não tínhamos como não a fazer. Por outro lado, obrigação é aquilo que não temos como não fazer. Portanto, aquilo que é escolha é virtuoso. Se observarmos a tradição ocidental, ela tem duas linhas que são muito marcantes. Uma delas é a greco-romana, que é uma concepção mais trágica da vida. Isto é, os deuses decidem e nós lamentamos. Ou agradamos aos deuses ou eles nos perseguirão. Essa é uma concepção de vida em que não há escolhas. Se lembrarmos as grandes tragédias, todas elas lidam com a ausência de escolha. *Édipo*, por exemplo, não teve escolha. Seu pai havia sido alertado de que teria um filho que o mataria; a mãe foi alertada de que iria gerar uma criança que desgraçaria a família. Quando Édipo nasce, a mãe não tem o que fazer: o pai abandona o filho, que é, então, criado em outro lugar. Um dia, Édipo encontra o pai e, sem saber de quem se trata, o mata. Depois, casa com a mãe e tem filhos com ela. Ou seja, nada pode ser feito nessa concepção de vida. Os deuses escolhem e pronto! Nós somos apenas um joguete que ouve a risada dos deuses lá no fundo. Essa visão trágica é aquela em que não há escolha. Daí a noção de destino, de fatalidade, a noção de vida já escolhida.

A outra concepção que vai trazer a noção de escolha é a judaico-cristã. Essa noção introduz a percepção da possibilidade de se decidir. Na narrativa hebraica, Adão e Eva são colocados num canto de felicidade, onde vão viver. E a divindade diz a eles: "Façam tudo o que quiserem, menos comer da árvore do bem e do mal e da árvore da sabedoria". O que eles fizeram? E por que o fizeram? Porque quiseram. Eles não foram obrigados a fazer. Fizeram porque quiseram. Vida é escolha. Ora, estou insistindo nesse ponto por uma razão: numa concepção como a greco-romana não há escolhas. Numa concepção como a judaico-cristã, a vida não é tragédia; ela é drama. No dramático, há escolha, seja ela 5%, 20%, 40% etc. Existe um território de escolha possível, assim como no carma. Isso significa que fazemos o que queremos, logo, somos virtuosos ou não conforme nosso desejo. Mas e se não desejarmos ser virtuosos, isso vai ter algum efeito?

Monja Coen – Sim, em tudo o que fizermos. Se estivermos com sede e não bebermos água, continuaremos com sede. Se bebermos água, a sede passará.

Cortella – E se alguém escolhesse não ser bom, haveria alguma consequência?

Monja Coen – Sim, provavelmente. Ele seria considerado um homem não bom, provavelmente haveria perseguições...

Cortella – Mas e se ele não ligasse para isso?

Monja Coen – Independentemente de ligar ou não, sempre haverá consequências do que fizermos. Se alguém roubasse uma pessoa na rua, por exemplo, ficaria com medo de ser reconhecido. Ou poderia não se importar de ser preso. Na cadeia, também poderia não se importar de estar ali. Mas talvez quisesse estar do lado de fora. A toda causa sempre segue uma consequência, e esta depende de condições.

Cortella – A razão da minha questão, Monja, é esta: na concepção judaico-cristã, não basta dizer que se pode escolher. É preciso alertar que haverá consequências.

Monja Coen – Sim, haverá consequências.

Cortella – Se não fizermos a boa escolha, viveremos eternamente distantes da divindade. Viveremos no inferno. No budismo, como você lida com isso?

Monja Coen – O inferno é temporário, como o céu também. Tudo é temporário. Não há o viver eternamente distante ou próximo da divindade. O tempo em que ficamos em um estado ou outro depende do carma cometido. Podemos entrar e sair do céu ou do inferno. Eles estão dentro de nós.

Há um conto sobre um samurai que está sentado sob uma árvore e, ao ver um monge passar, o chama e lhe diz: "Eu não acredito que haja céu e inferno". O monge replica: "É claro que não pode acreditar. Você, um samurai de segunda categoria, medroso, um ignorante, que não entende nada...". O samurai, enfurecido, levanta-se e começa a desembainhar sua espada. O monge sorri e exclama: "Isso é o inferno". O samurai sorri e guarda a espada. O monge então lhe diz: "Isso é o céu". Ou seja, o céu e o inferno estão em nós. Como lidamos com isso? No budismo, nada é eterno. Não há nada fixo nem nada permanente, tudo está num processo incessante de transformação. Ficamos no céu ou no inferno o tempo correspondente às nossas ações. Se fizermos ações benéficas, passaremos o tempo correspondente a elas no céu, ou seja, numa boa condição, de alegria, de contentamento, de plenitude. Se fizermos algo que não é nem bom nem mau, passaremos um tempo num mundo intermediário. E se fizermos uma coisa muito má, teremos um tanto de sofrimento. Mas esse sofrimento não será eterno. É nisso que o budismo todo se baseia, isto é, não há nada fixo nem permanente. É como é. E quando digo isso, trata-se de uma identidade fluida que não é fixa nem permanente. A impermanência é a impermanência de um eu, porque, conforme aprendemos, lemos, estudamos, convivemos com outras pessoas, vamos nos transformando. Não existe um eu permanente. A vida é movimento e transformação. E todos nós estamos o tempo todo nos transformando. Nesse processo, podemos escolher uma direção. Podemos escolher ou o caminho da virtude ou o do vício.

Cortella – Uma das bases da noção virtuosa e ética do Ocidente judaico-cristão é que a vida é uma só. Não é casual que a teologia judaico-cristã não considere a reencarnação. A reencarnação possibilitaria o enfraquecimento da noção ética de conduta, e uma das coisas mais fortes dessa ética é que ou é agora ou é agora. Isto é, não temos uma segunda chance. Sejamos bons aqui, pois não teremos outra ocasião de fazê-lo.

Monja Coen – Buda insistia na realização nesta existência, nesta oportunidade de havermos nascidos seres humanos, capazes de despertar para a sabedoria perfeita. Embora nascido na Índia antiga, ele questionava o sistema de castas, questionava a reencarnação. Buda não negava que estamos todos em estágios diferentes de compreensão e crescimento, mas entendia que isso não era por nascimento ou reencarnação, mas por comportamento, pensamento ou ações. Para Buda, um sacerdote, um brâmane,* enfim, quem estava no topo da pirâmide social não deveria ter essa posição porque "nasceu filho de", mas sim por ter o pensamento, a ação, a atitude de um brâmane, de um ser nobre. A nobreza, então, não seria de família, mas do comportamento de cada um, da sua escolha, do seu discernimento.

Cortella – E aqui vem um ponto interessante: a generosidade é uma escolha, mas o livre-arbítrio, não.

Monja Coen – Não. Ele existe. Ele é. O livre-arbítrio permite fazer escolhas.

Cortella – O livre-arbítrio não pode ser considerado uma virtude, porque ele não é objeto da nossa escolha. Até ao escolhermos não escolher, fazemos uma escolha. Quando **Sartre** diz que "o homem é um ser condenado a ser livre", isso pode ser um jogo de palavras? De maneira nenhuma. A Filosofia sartriana coloca uma condição mais funda: nós não

---

* Membro da mais alta casta hindu, tradicionalmente reservada ao sacerdócio. (N.E.)

escolhemos se somos livres ou não; nós o somos. O modo como vamos exercer essa liberdade, sim, é escolha.

Monja Coen – E isso trará consequências.

Cortella – O livre-arbítrio é uma condição. Se ele é condição, então não é virtude. Uma parcela das religiões impede a noção de livre-arbítrio. Agostinho, como já expliquei anteriormente, enfrentou uma encrenca danada por isso, porque ele acreditava em livre-arbítrio. Ora, se Deus é onipotente, onisciente, onipresente e eterno, antes de permitir a existência de cada um de nós, Ele já sabe se vamos para o céu ou para o inferno. Por que, então, Ele me criou sabendo que vou para o inferno? [*Risos*] Essa é a teoria da predestinação. Agostinho enfrentou isso com uma discussão séria, que ele não resolveu de vez. Ele vai falar das escolhas e das virtudes, mas Deus é quem saberia se vamos para o céu ou para o inferno. E por que Ele me fez, então, eu que vou para o inferno? Porque Ele quis. Está resolvido. Agora, o que fazemos com a vida, se já estamos condenados desde sempre ou ao céu ou ao inferno? **Lutero** era monge agostiniano. Portanto, ele estudou Agostinho de perto. Quando Lutero faz a ruptura com o mundo do catolicismo romano, ele traz essa discussão novamente. Mas quem vai lidar com isso de modo mais intenso – e estou me demorando exatamente porque isso importa neste passo – é **Calvino**, que não era monge, não tinha esse vínculo com a Igreja. Ele era suíço e estava em outra lógica, que vai dizer assim: "Existe uma predestinação. Deus sempre soube se eu ia para o céu ou para o inferno. Por isso, eu só posso contar com a misericórdia divina. É Ele que vai decidir se altera a minha rota durante a vida". Adianta fazer obras? Calvino diz que não. Isso é algo dificílimo de lidar para a teologia reformada, como a de **Rubem Alves**, por exemplo, que era presbiteriano. Adianta fazer alguma coisa? Deus vai ter piedade de nós? Só a misericórdia Dele vai decidir isso. Portanto, alguns estariam destinados ao céu, outros ao inferno. Mas Deus daria uma dica: se somos alguém que tem bens, propriedades e posses, isso é sinal de que estamos abençoados. Não é que a riqueza salva, mas ela seria indício de salvação. Não é porque alguém mora bem que estaria salvo; ele estaria salvo porque mora bem. Por isso, ter bens seria sinal de salvação. De quem não tem, precisamos cuidar, ser com ele fraternos. Por que dei essa volta toda? Para chegar a um ponto: o livre-arbítrio é uma discussão antiga, e ele coloca para nós uma ideia de escolha. E eu volto ao que você falava agora, Monja: o carma resulta de escolha.

Monja Coen – Há carmas fixos e carmas não fixos, mas a escolha é determinante.

Cortella – O que é fixo?

Monja Coen – Onde nascemos, quem são nossos pais... Não podemos mudar isso. Eu, por exemplo, venho de uma família que tinha escravos, que via os negros como coisas separadas de nós e sem alma. Já eu trabalho exatamente pela inclusão e pelas cotas. Portanto, eu não repito esse modelo discriminatório. Embora tenha nascido numa família assim e recebido influência dela, eu não dou continuidade a isso, vivo outra realidade. Eu mudei, então, o carma da minha família. Porque não mudamos só o carma individual, não mudamos só daqui para o futuro; mudamos daqui para o passado também. O tempo é uma coisa só, ele é circular. Aquilo que fazemos, que manifestamos neste momento, está influenciando tudo o que já foi e o que será. Eu, neste agora, faço escolhas, e elas são baseadas naquilo que a minha família, que veio de uma situação de discriminação, de preconceito etc., me ensinou como não preconceito.

O tempo é uma coisa só, ele é circular. Aquilo que fazemos, que manifestamos neste momento, está influenciando tudo o que já foi e o que será.

Certa vez, reclamaram a Buda: "O meu vizinho é um salafrário, faz coisas horrorosas e tudo para ele dá certo. Ele está rico e poderoso. E aquele outro que é um homem bom, só faz bondades, nunca tem nada, vive numa penúria danada". Buda disse: "A lei do carma é impessoal e inflexível. Ele pode não ter nada agora, mas poderá ter no futuro. E aquele que tem tudo agora poderá perder o que tem". O que nada tem pode viver feliz e satisfeito, pois nada tem a perder. O que muito tem pode viver agoniado, com medo de perder o que tem.

O carma funciona em três períodos de tempo: no momento presente, mais adiante e muito mais adiante. Por exemplo, hoje o rio Tietê está sujinho. Antes, o meu pai nadava ali.

Cortella – Eu também. Pescava.

Monja Coen – Nós sujamos o Tietê, mas isso não significa que ele ficará assim para sempre. Nós criamos esse carma prejudicial em razão de um desconhecimento, de uma ignorância. A ignorância, a raiva e a ganância são os três venenos que nos levam a cometer erros, a fazer bobagens, e nos colocam num inferno: não podemos beber a água do rio, não podemos nadar ali. Passamos nas marginais dos rios poluídos por nós mesmos, por nossos contemporâneos e os que vieram antes deles, e o que recebemos de volta? Odores que não são benéficos à saúde humana.

A água não é má nem suja. A água é incolor, inodora, insípida. Nós colocamos na água o odor, a cor e o sabor.

Cortella – Tem uma questão séria no campo daquilo que é merecimento ou não. Quando você fala em carma, que aquele que é salafrário e que hoje tudo tem poderá deixar de ter, ele também poderá não deixar de ter. E aquele que hoje nada tem poderá ou não vir a ter. Aí, voltamos à noção de justiça. É justo isso? Isto é, onde está a ideia de justiça nessa percepção olhando de um modo cósmico, para usar uma expressão mais ampla? Do ponto de vista cósmico não é justo, ou seja, há um desequilíbrio. O universo não está em harmonia quando o carma, por ser inexorável, pode fazer com que se consiga ou não a benesse, a paz integrada ao cosmos. Nesse sentido, o carma é justo ou indiferente a essa questão?

Monja Coen – O que pode parecer injusto agora, porque houve causas e condições para que assim se manifestasse, pode ser justo daqui a pouco, independentemente de coisas materiais. Nós podemos modificar as causas e as condições, estas não são fixas. Como falei anteriormente, existe carma fixo, que não podemos mudar. Nascemos numa certa condição, mas o que fazemos com isso? Ficamos lá, nos lastimando e dizendo: "Olhe em que situação estou... É meu carma"? Não acreditamos que as situações sejam resultado de carma anterior. Mas pode haver carma produzido a partir do que fazemos da situação. Se tudo é carma, então carma não existe.

Cortella – Ele se dilui...

Monja Coen – São coisas muito específicas. Se estamos passando por dificuldades, causas e condições fizeram com que isso assim se manifestasse. É como falei do rio Tietê, não prestamos atenção no que estávamos fazendo. Fomos fazendo de qualquer jeito, achando que estava tudo bem, mas criamos causas e condições adversas. Muitos anos atrás, me contaram de um senhor que recebeu dinheiro para fazer um poço no meio de uma cidade lá do Nordeste. Mas ele fez o poço em sua fazenda, e não para toda a cidade, para todos os moradores dos arredores. Quando a fazenda foi invadida, ele não sabia o porquê. Será que não sabia mesmo?

Cada vez que pensamos pequeno, quando o pensamento é corrupto, ou seja, quando o *cor* – de coração –, está roto, sujo, partido, dividido, não está íntegro, tomamos atitudes e ações prejudiciais. Não interessa se é ouro, prata ou palha. É a mesma coisa. Seja lá o que fizermos com esse pensamento dividido, partido, ele trará resultados não benéficos. Esta é a lei do carma: imparcial e impessoal. O que devemos, o que podemos fazer? Mudar. Nós podemos transformar o sofrimento em um aprendizado para o crescimento. De nada adianta a lamúria, a vitimização de que é nosso carma, que nada podemos fazer pois assim é a lei do carma. Isso não é verdadeiro.

Como falei anteriormente, no budismo, nós não temos deidade. Nós não temos o conceito de um deus, que estaria nos céus a nos julgar... Mas, ao mesmo tempo, temos a ideia da balança, da justiça. Sabemos – ou deveríamos saber – o que é correto, o que é adequado e o que é inadequado, tanto na vida quanto na hora da morte.

"De cada um de acordo com a sua capacidade,
para cada um de acordo com a sua necessidade"

Cortella – Eu tenho uma pergunta, Monja, que servirá para mim também: você, quando atua pela ideia da política de cotas, como eu, o faz por ser generosa ou porque acha que isso é o justo?

Monja Coen – Eu acho que é o justo. Como a minha mãe trabalhava – ela era professora –, convivi muito com as moças que cuidavam da casa, que cuidavam de mim. Muitas eram negras, mulatas, mamelucas, índias mestiças. Encontrei grande identidade com essas mulheres e sempre senti grande respeito por elas. Eu as reconheço como seres humanos que têm direitos, que merecem participar da educação, ter empregos e salários melhores, não ser exploradas...

Cortella – Vou lembrar uma frase triste, se dita agora, de Agostinho. Ele falava: "A tarefa da Igreja em relação aos escravos não era fazê-los livres, mas fazê-los bons". Veja como é difícil essa lógica. "A tarefa da Igreja", dizia Agostinho, "não é fazer os escravos livres, mas fazê-los bons". Ou seja, não importa a condição em que alguém está, ele tem que ser uma boa pessoa.

Monja Coen – Mestre Dogen escreveu algo semelhante: "O mais importante não é doar coisas materiais, mas desenvolver a capacidade de todos a fim de que possam compreender melhor a realidade". Esse é o maior presente que se pode dar a alguém. Não é apenas dar coisas, por exemplo, dar comida para alguém que está com fome. Não. É dar capacidade de raciocínio para que essa pessoa entenda o que está acontecendo e tenha a capacidade de conseguir o que precisa. Não é dar esmolas, mas isso não significa também que eu seja contra o Bolsa Família ou o Fome Zero, que apoio profundamente. Mas eu acho que precisamos dar condições para as pessoas – e isso é educação – para que tenham capacidade de discernimento correto. E de treinar esse discernimento.

Cortella – Eu não tenho na minha trajetória nenhum parente escravagista no passado porque minha família veio da Europa no final do século XIX, quando já não havia mais a obrigatoriedade legal da escravatura. Mas eu sou beneficiário da escravatura, mesmo agora. Isto é, sou beneficiário de uma sociedade que construiu mecanismos de desigualdade. Minha competitividade no cotidiano acabou sendo muito menor porque, quando fui fazer vestibular, por exemplo, havia um número reduzido de pessoas participando daquele concurso. É claro que tive mérito ao ser aprovado no exame, mas eu tive mérito em meio a um número restrito de pessoas. Numa sociedade que tem mais da metade da população composta de afrodescendentes, a minha disputa no vestibular se dava com 10%, que eram os brancos escolarizados etc. Embora eu não tenha esse passado escravagista, a minha recusa em admitir que essa trajetória dos séculos passados tenha efeitos deletérios negativos agora vem na mesma direção que a sua, Monja. Vem não porque eu sinta vergonha. Eu não posso sentir vergonha do passado escravagista porque não o vivi. Eu não tenho responsabilidade direta em relação a isso. Mas não acho justo que aquela condição naquele momento vitime pessoas hoje em razão de uma trajetória que elas não escolheram. E acho que isso tem a ver com virtude. Se não foi escolha delas ser descendentes de escravizados, é escolha minha que essa escolha que elas não puderam fazer não as afete negativamente agora, sendo delas parceiro num projeto de luta que caminha para algo dificílimo de estabelecer: o que é justo? Porque a virtude não é a justiça em si, mas ser justo, uma pessoa justa. E o que é ser uma pessoa justa?

Monja Coen – Eu sempre me lembro daquela brincadeira em que havia coisas ímpares para serem divididas e ninguém conseguia fazer a divisão. Chamaram Deus, então, que disse: "Você fica com esse montão, você fica sem nada"...

Cortella – Exatamente. Essa é uma história sufi,[*] uma história dos islâmicos. É maravilhosa.

Monja Coen – O que é justiça? O que é ser uma pessoa justa? Gosto muito de dizer "adequado", "ser adequado a circunstâncias". O que é adequado nesta circunstância e neste

---

[*] Designação dada aos adeptos do sufismo, corrente mística do islamismo. (N.E.)

momento? Nós não temos padrões preestabelecidos que possam funcionar em qualquer lugar. Esse é um erro a que as pessoas se prendem. Nossa Constituição diz que somos todos iguais perante a lei. Mas não somos iguais. Por que tratar de maneira igual pessoas que são tão diferentes entre si? Uma pessoa que tem vários filhos não pode tratar todos da mesma forma. As necessidades de cada um são muito específicas. Ela não pode dar uma roupa do mesmo tamanho para todos, porque eles podem ser de tamanhos diferentes. Nós temos, então, um conceito de justiça e de ser justo e precisamos nos espremer para caber dentro dele. Dizer que ser justo é tratar todos de forma igual, isso para mim é falso.

Cortella – Há uma diferenciação, você sabe, até na terminologia de análise de educação, entre igualdade e equidade. A noção de igualdade, que é aquela que está na lei, é a que se dá o mesmo tratamento às pessoas em função da fonte do direito. Já equidade é dar aquilo que é necessário de acordo com a necessidade. Nesse sentido, acho que a noção de adequação é bem precisa. E acho que a noção de ser uma pessoa justa é aquela que não desequilibra – estou lidando aqui de propósito com a palavra "equilibrar" – a condição de existência em relação àquilo que é preciso fazer. Por exemplo, uma pessoa justa é aquela que não é excludente, que não é segregacionista. Uma pessoa justa é aquela que não é tendenciosa no sentido de trazer para ela aquilo que não é correto apenas porque a beneficia. Uma pessoa justa é aquela que não produz vitimação. A noção de justiça é muito variada. Aquela de que mais gosto aparece num dos salmos da bíblia hebraica, que até serviu de lema um dia para a campanha da fraternidade dos católicos no Brasil: "Justiça e paz se abraçarão". Você sabe, Monja, e eu sei o que é paz. Paz é quando não se tem ausência de alimento adequado, é quando se está em paz, se vive em paz. Paz é quando não há distorções, não há colisões, não há exclusões. Quando temos escola adequada, moradia digna, trabalho que seja honroso, isso é paz. E o que é justiça? É todos terem paz. A noção de justiça mais nítida que eu vejo está nessa direção. Justiça é todos terem paz. E paz é a recusa ou a impossibilidade de diminuição de dignidade das pessoas em relação à integridade da vida. Acho que ser justo é um dos movimentos mais complexos como virtude.

Você falava de filhos... É difícil ser justo, mesmo com os filhos. Com as pessoas mais distantes, é um pouco mais fácil, mas com aqueles que estão no nosso cotidiano, a noção de justiça é mais complexa. Eu sou pai e avô. Você, Monja, é mãe, avó e bisavó. Você tem uma menina só, mas dois bisnetos...

Monja Coen – Como vai ser? Eles são muito pequenos agora.

Cortella – Mas tratá-los igual significa gostar deles do mesmo jeito?

Monja Coen – O gostar é algo separado disso. O gostar é diferente. O amor e a ternura que podemos sentir por todos é uma coisa, mas a necessidade de cada um é específica. Por exemplo, uma moça que me acompanha há muitos anos tem três filhos. Um deles tem bronquite, asma. Ele é aquele menino para quem ela sempre precisa dizer: "Ponha o casaco. Não fique molhado". Para os outros filhos, não. "Podem ficar na lama. Mas você não pode." Ela precisa cuidar daquele de um jeito um pouco diferente em relação aos outros. A necessidade dele, de alimentação, afeto etc., não é a mesma dos outros. Eu tenho uma irmã. Ela era uma pessoa que não gostava muito de beijo, abraço, colo... Já eu gostava do colinho da mamãe. Não é porque eu ficava mais no colo que a minha mãe gostasse mais de mim. Mas eu tinha essa necessidade de afeto físico que a minha irmã não tinha.

Cortella – E a sua irmã nunca disse: "Isso não é justo"?

Monja Coen – Ela sempre achou que não era. "Você é a queridinha da mamãe." Mas como assim? Eu sentia essa necessidade, esse prazer de estar perto da minha mãe e de estar em contato físico com ela, que a minha irmã não sentia. Mas isso não significa que a minha mãe a amava menos por isso. Essa é a diferença. Vamos pensar em Caim e Abel. Um sentia inveja do outro. Entre irmãos e irmãs pode haver comparação de tratamento, de atenção, e um filho até chegar a acreditar que o outro é o favorito do pai, ou o favorito da mãe. Pode ser como pode não ser. Também não se pode negar que talvez haja mais afinidade com um filho do que com outro. Assim como acontece com amigos, com parceiros de trabalho, com pessoas que encontramos no mundo. Com algumas, temos mais afinidade e mais facilidade de nos relacionar. Já com outras, é mais difícil. Não é impossível, mas é mais difícil. Não é que tenhamos "preferência por", mas sim mais afinidade. Se houver mais afinidade, saberemos de sua necessidade com mais clareza. Com outra pessoa, mais distante, mais retraída, mais fechada, teremos que descobrir do que ela realmente precisa, porque ela não é capaz de se manifestar como estamos acostumados a fazer. Conclusão: não somos todos iguais.

Cortella – Nós somos mais capazes de definir justiça por exclusão do que por presença. Quando digo que algo não é justo, eu sou capaz de caracterizar isso. Por exemplo, o privilégio não é justo. Privilégio significa uma lei só para si. É não precisar ficar numa fila, por exemplo, não precisar aguardar para receber. Isso é privilégio, uma lei exclusiva. Quando digo que o privilégio não é justo é porque, numa sociedade de iguais, ele não pode existir. Você diz, Monja, que não estamos numa sociedade de iguais. Sim, nós não estamos numa sociedade de iguais no sentido da história, da etnia, das condições sociais. Mas nós estamos numa sociedade de iguais perante a lei. Pois bem, o privilégio não é justo perante a lei. Mas ele não é justo ou não é legal? Isto é, o privilégio é injusto ou ilegal? A legislação veda o privilégio, portanto, ele é ilegal.

Mas ele é justo? O direito lida com justiça ou com lei? Porque a gente sabe que nem tudo que está no direito lida com a ideia de justiça. O que é ser justo? O que significa dizer que uma pessoa é justa? Que ela não trata, não age desigualmente, que ela respeita a lei? Essa é uma ideia muito complexa.

Monja Coen – Vamos pensar em roupa justa, naquilo que serve perfeitamente, que veste bem. Novamente, vou falar do que é adequado. Se for muito justo, não está bom. Se for pouco justo, está muito largo. Se não for nem largo demais nem apertado demais, está justo. Portanto, está correto. E o que é correto? Qual é o caminho correto que o budismo expõe? Como percebemos que estamos no caminho correto? Uma das maneiras de provocar um praticante do budismo é perguntar: "Como você anda reto por uma estrada cheia de curvas?". A pessoa pode ficar atrapalhada com a pergunta, no início. Mas só existe um caminho: é fazer as curvas. O que é ser justo, então? Depende das curvas do caminho. Não é ser justo, reto, correto como algo bitolado, fechado, mas ter a possibilidade de improvisar no momento necessário. É justo neste momento eu distribuir, por exemplo, estas empadinhas que temos aqui, sobre a mesa? Vou dar uma para cada um. Alguém vai dizer que não come empadinha, mas, como sou justa, dou uma para cada um. Mas será que isso é justiça? Será que é justo fazer isso? Ou vou, como você disse, privilegiá-lo, Cortella: "Você que está dialogando comigo, você que é professor, são todas suas. Faça o que quiser com elas"?

Cortella – Gostei da ideia de adequação. Porque eu faço uma distinção, Monja, entre dividir e repartir. Há uma diferença entre dividir as empadinhas que aqui temos e reparti-las. Se há doze empadinhas, conto o número de pessoas que aqui estão e dou o equivalente aritmético para cada uma. Já repartir é multiplicar. É fazer com que haja de acordo com a necessidade. No meu livro com Frei Betto que mencionei sobre esperança, há uma parte da conversa de que gosto demais. Conta-se que Jesus de Nazaré fez o milagre da multiplicação de pães e peixes. E algo de que precisamos nos lembrar é que, como diz Frei Betto – e é verdade –, Jesus não era um taumaturgo, um milagreiro, que fazia as coisas acontecerem; Jesus era alguém que fazia com que as coisas fossem justas. Quando se diz que Jesus multiplicou pães e peixes, a sensação que temos – e a história não traz essa narrativa, mas é isso que vem no tempo – é que ele fez com que aparecessem outros tantos. Mas se lermos direito a história, o milagre está numa coisa maravilhosa, que tem a ver com generosidade, com justiça. Havia uma multidão com fome, e Jesus pergunta aos discípulos: "O que temos de comida?". Eles respondem: "Só temos cinco pães e dois peixes". Aí, Jesus faz o grande milagre: "Vocês vão no meio da multidão e vejam o que cada um tem". E eles voltam com cestos e mais cestos de pães e peixes. Diz a história que eles repartem tudo, todo mundo come e ainda sobra.

Qual foi o milagre? O milagre foi a partilha. O milagre não foi fazer pão virar mais pão; foi fazer com que houvesse a partilha.

Ora, a justiça é exatamente a condição de partilha. O adequado é aquilo que permite que pães e peixes sejam multiplicados, e não divididos. Quando partilhamos, multiplicamos; quando dividimos, diminuímos. Não adianta, de fato, no seu exemplo, dividir as empadinhas pelo número de pessoas presentes. Porque tem aqueles que não comem empada, outros que já comeram, outros que não estão com fome, outros que comem três ou quatro... Portanto, o que é o adequado? Agora vou introduzir na conversa algo que parece estranho, mas o adequado talvez fosse o lema anarquista: "De cada um de acordo com a sua capacidade, para cada um de acordo com a sua necessidade". Veja que coisa equilibrada. Mesmo que eu não seja anarquista, acho que esse é um dos lemas mais bonitos para pensarmos a noção de justiça. De cada um de acordo com a sua possibilidade, capacidade, para cada um de acordo com a sua necessidade. Pois qual é a encrenca? A minha necessidade pode ser diferente da sua.

> **Quando partilhamos, multiplicamos; quando dividimos, diminuímos.**

Monja Coen – A sua capacidade de dar, também.

Cortella – É a ideia de parcimônia como uma virtude. Vou usar uma palavra que é mais antiga e que perdeu até a concepção de virtude, mas eu insisto nela: modéstia. Quando a gente dizia que aquela é uma moça muito modesta ou que aquele é um senhor muito modesto, a modéstia não estava ligada só a alguém não ser arrogante. A modéstia não era alguém que não assumia os elogios, ela era entendida como a virtude de uma pessoa que não se exibia. Isto é, que não vivia daquilo que é a demonstração de poder, de posse, de propriedade. Bens modestos são aqueles que não exuberam, não transtornam, não são mera ostentação. Portanto, a pessoa modesta é aquela não ostentatória. Por que estou falando de modéstia? Porque acho que algo que a gente tem que introduzir é que uma vida modesta não é uma vida de carência; ela é uma vida de suficiência. Eu venho procurando, Monja, trabalhar esse conceito um pouco mais, porque às vezes me perguntam o que é uma vida simples e, portanto, uma vida virtuosa no meu entender.

Monja Coen – Isso vai depender de cada pessoa também.

Cortella – Mas se alguém diz que precisa, por exemplo, de três calças em vez de uma, bom, aí vamos entrar novamente na discussão sobre o que é generosidade, parcimônia, simplicidade... Por isso, eu digo: uma vida simples é aquela em que há suficiência. E suficiência não é sinônimo de miséria. A suficiência é aquilo em que se tem o que é necessário para existir do modo como se acha adequado existir. Aí se diria: bom, mas então alguém que acha que precisa ter um carro exuberante ou um iate, isso é uma vida simples? Se aquilo que ele tem como suficiência não for agressivo em relação ao conjunto da vida, sim. Mas não dá para trabalhar a ideia de vida simples sem trabalhar a ideia de justiça. Porque como ele conseguiu aquela suficiência? Com aquilo que o contenta ou com o espólio de quem com ele vive? Com a restrição da vida de outras pessoas? A gente volta, então, à questão da justiça. Ele tem, mas talvez não seja justo. E por que não? Porque, para ele ter aquilo, outros talvez tenham sofrido, perdido, sido degradados. E aí não é justo porque se quebra a harmonia.

Monja Coen – Porque ele está explorando alguém ou alguma situação. No budismo, a virtude seria o caminho do meio, que é sem apegos, sem aversões, sem extremos. Não queremos nenhum extremo da pobreza. Não somos apegados às coisas materiais, nem desapegados também; nós convivemos com elas. Falamos que nada pertence ao ser, mas, ao mesmo tempo, não roube. Não é interessante isso? Nada pertence ao ser, mas não pegue nada que não lhe foi dado. Por quê? Porque você vai ser perseguido. Porque a sua vida vai virar um inferno. Se alguém passa na rua, vê uma senhorinha lá, com a bolsa cheia de dinheiro – e ele precisa de dinheiro para comprar remédio para a mãe – e a rouba, nunca mais vai poder passar por ali, porque vai se sentir perseguido. Não é questão se um ato é certo ou errado, mas se vai criar um sofrimento não só para a pessoa que perdeu o dinheiro, porque ela pode reaver aquilo de outra forma, mas para aquela que roubou e perdeu a liberdade. Por isso, falamos que o carma é inflexível e impessoal, é o que vai recair sobre o que fizermos. E pode não ser sobre nós mesmos, mas sobre os nossos filhos, netos e bisnetos.

Ande reto por uma rua curva

Cortella – Quando eu e você, Monja, éramos crianças, havia um quadro na parede de algumas casas que mostrava o caminho do bem e o caminho do mal: a vida virtuosa e a vida viciosa. Essa era uma imagem muito comum nas comunidades católicas e nas reformadas. Nela, há duas estradas que levam ou ao inferno ou ao paraíso. No caminho do bem, o que temos? Dificuldades, sofrimento, doenças, encrencas, mas chegaremos lá. No caminho do mal, há cinema, teatro, baile, sexo, comida, ou seja, tudo o que era entendido como vício – aliás, tudo o que também pode ser bom. E eu queria falar com você sobre a ideia do caminho do meio, que é uma das minhas maiores dificuldades com o budismo.

Monja Coen – O caminho do meio não significa que nunca erramos. Temos uma expressão que diz "cai sete vezes e levanta-se oito". Isso significa que não estamos sempre no meio. Uma vez que percebemos qual é o centro de equilíbrio, podemos sair dele e voltar a ele mais rápido. Aquele que nunca o percebeu pode não ter condições de voltar muito bem. O projeto, então, é fazer com que as pessoas percebam que existe nelas, na mente e no corpo, um centro neutro, e que elas podem voltar para ele.

Cortella – Os gregos chamavam essa ideia de um caminho do meio de ortodoxa, que é a rota reta, a opinião reta.

Monja Coen – "Ande reto por uma rua curva."

Cortella – Siga o caminho reto no rumo da virtude.

Monja Coen – O caminho correto.

Cortella – A minha dificuldade é o quanto isso em algum momento pode se aproximar daquilo que considero vicioso, não no budismo, mas como concepção, que se chama de uma vida morna.

Monja Coen – Ah, sim. Gosto muito do que você costuma falar: "Deus vomitará os mornos". Adoro isso!

Cortella – Está lá no capítulo 3, versículos 15 e 16 do Apocalipse que Deus vomitará os mornos. Tenho um livro com **Pedro Mandelli** chamado *Vida e carreira: Um equilíbrio possível?*[*] em que faço um argumento que não é avesso a esse caminho do meio na maneira como você coloca, mas que é, especialmente, contra a ideia de que a vida reta é aquela que não é nem quente nem fria. Aquela que não é nem tanto ao mar nem tanto à terra. (Porque, às vezes, a vida é bastante ao mar e outras à terra.)

---

[*] Campinas: Papirus, 2011. (N.E.)

Monja Coen – Oito ou oitenta...

Cortella – Exatamente. E aí eu quero lembrar que uma vida reta não é aquela da monotonia. Haja vista que uma orquestra sinfônica, por exemplo, é gostosa, e não monótona, porque é plurifacetada. Só violinos são entediantes. Só baixos e tubas são entediantes. Um piano se constrói para nós desde a espineta até agora como um instrumento gostoso porque ele simula várias sonoridades, uma vez que tem um número de teclas que permite essa diversidade. Mas eu digo que o equilíbrio que entendo como correto numa vida virtuosa é o equilíbrio numa bicicleta. Porque, na bicicleta, temos que nos equilibrar em movimento. Se pararmos, desabaremos. Ficar numa situação de ataraxia, quer dizer, nem quente nem frio, nem longe, nem perto, sem desejo, isso é monotonia. Por isso, estou insistindo com você em relação ao caminho do meio para que não se veja no budismo algo que ele não fala. O budismo não diz que o caminho do meio é o caminho da monotonia, da chateação, do tédio universal. Se o paraíso existe e é assim, deve ser de uma monotonia sem fim. Aliás, acho que uma das coisas que levaram Adão e Eva a romperem com o paraíso foi que eles queriam ir atrás de emoção. Porque eles tinham tudo, estava tudo ali, tudo servia...

Monja Coen – O budismo divide o mundo em seis. Um deles é o mundo celestial. Qual é o problema dele? É que nele não se filosofa, não se questiona, não há sabedoria.

Cortella – Não há sabedoria?

Monja Coen – Não. Lá está tudo bem, não precisamos de nada, não questionamos nada. Tudo o que quisermos, vai aparecer. Mas isso é monótono. Então, para nós, esse não é o objetivo do budismo. Depois, nós temos os seres que invejam os celestiais: são os briguentos – pessoas que estão sempre em luta, em briga, discutindo. Esse é outro mundo, portanto. Na sequência, temos o mundo humano; o mundo dos animais, que é só instinto; o mundo dos infernos, dos grandes sofrimentos; e o que se chama de espíritos famintos, que são aqueles que estão sempre insatisfeitos, os "sacos sem fundo", como se chamava antigamente. Por mais que eles tenham, está sempre faltando alguma coisa, estão sempre reclamando.

Nós, humanos, somos os únicos que podemos acessar a sabedoria e, portanto, a libertação. Nós vagamos pelos seis mundos, não estamos fixos em nenhum deles. Há momentos no dia em que dizemos que está tudo maravilhoso, nada nos falta, está tudo perfeito. Pode até existir um problema ali, mas passa. Está tudo bem, estamos no céu. De repente, vamos para o inferno. Acontece um incidente conosco ou com uma pessoa próxima e ficamos em sofrimento. Em outro momento, somos só instinto: queremos comer, fazer sexo, precisamos disto, precisamos daquilo... É o desespero daqueles caras que estupram mulheres na rua. Eles saem do eixo e viram o bichinho que só tem instinto. Ao mesmo tempo, somos aqueles que estão insatisfeitos. Está sempre faltando algo. E somos briguentos. Estamos sempre brigando com alguém. Essa é uma roda em que giramos várias vezes. E o ser humano é aquele que pode perceber onde está agora e como lidar com aquilo. As pessoas podem achar que a monja zen está neutra, que está observando em plenitude. Não está, não. Está sentindo tudo, está convivendo com tudo que existe. Esses dias, me mandaram um vídeo de dois jovens monges brigando de socos na rua. "Mas como, monges brigam?" Monges são seres humanos. Eles podem ficar bravos um com o outro, sim. E em seu processo de crescimento pode ser que não briguem mais fisicamente, mas isso não significa que não haja questões a serem resolvidas.

Cortella – E o equilíbrio, a harmonia entre esses seis mundos é uma possibilidade?

Monja Coen – Como falei no início, mestre Dogen diz que *samsara* é nirvana. O nirvana não é só quando morremos, quando não temos mais corpo, quando não temos mais apego nem aversão. É ainda sentindo apego e aversão que percebo: "Nossa, como estou apegada a isto!". E se é um apego que está nos perturbando, como nos libertamos dele?

Cortella – Quando **Heráclito**, lá no século VI a.C., sugere que nenhum homem toma banho duas vezes no mesmo rio, ele, é claro, está falando da mudança permanente. Ele diz que não haverá nada mais permanente do que a mudança.

Monja Coen – Duas gotas de água não passam duas vezes pelo mesmo lugar – Buda também falou assim. Não é bonito? Eles falam a mesma coisa.

Cortella – Aliás, há alguma suspeita de que Heráclito tenha tido contato não com Buda, porque eles nem são tão conexos, mas com pensamentos que dali vieram.

Monja Coen – Considero que, quando acessamos certo nível, que podemos chamar de experiência mística, de compreensão maior, de sabedoria perfeita, *prajnaparamita*, nós nos reconhecemos por termos o mesmo olhar.

Cortella – Sim, pode ser. E é muito gostoso lidar com a percepção que você coloca desses seis mundos como uma explicação, ou, como diríamos em matemática, um racional, para que a nossa conduta possa ser contraditória em momentos variados. Em *Memórias de Adriano*, que é uma obra inacreditável, **Marguerite Yourcenar** diz que a felicidade é tão frágil que qualquer deselegância a desmonta. Qualquer falta a ameaça, qualquer ruído a perturba. Veja que coisa: um equilíbrio desses seis mundos seria muito forte se tivéssemos a capacidade de prudência, a capacidade de não ultrapassar a modéstia, de ser alguém com uma conduta justa, mas nós nos habituamos com o podre. Você falava há pouco do Tietê... Quando me mudei para São Paulo no final de 1967, o rio Tietê e o rio Pinheiros eram navegáveis. O rio Tietê, não por acaso, tinha em sua margem, como tem até hoje, alguns clubes. Lá foi fundado o Clube de Regatas Tietê, o Esperia, o Corinthians, que era um clube de remo. Não é à toa que o Corinthians tem como símbolo um timão de barco – como sou santista, direi que não é um timão porque é um grande time. [*Risos*] Quando mudei para cá, eu tinha de treze para quatorze anos de idade e ia aos domingos e feriados para o rio Tietê pescar ou nadar. Em meio século, que é o tempo em

Nós nos habituamos com o podre.

que estou em São Paulo, nós assassinamos esses dois rios. Nós os matamos. Durante séculos, eles geraram vida, alegria, fertilidade, e nós os assassinamos. Hoje, eles fedem. Eles são podres. Agora vem o pior: nós nos acostumamos com o podre. Quando chegamos à cidade de São Paulo pela via Dutra ou pela Ayrton Senna, entramos na marginal Tietê e sentimos aquele fedor do rio, pensamos: "Que bom, já estamos perto".

Monja Coen – Estamos perto de casa...

Cortella – A gente vem pela Raposo Tavares, pela Castelo Branco, pela Bandeirantes, pelo Rodoanel, pela Régis Bittencourt, entra na beira do rio Pinheiros, sente aquela coisa fétida e diz: "Ah, que bom, estou em casa!". Ou o avião pousa no Rio de Janeiro, no aeroporto do Galeão na Ilha do Governador, que é maravilhosa, mas tem um mangue podre à volta, destruído, nojento. Quando a porta do avião abre, vem aquele aroma agressivo: "Que bom, já cheguei!".

Nós nos habituamos com o podre: o podre dentro da gente, na comunidade, na empresa, na Igreja, na família, o podre na política pública e privada... Quando você diz desses seis mundos em que circulamos – e eu gosto dessa ideia de ser muitos de vários modos em vários tempos e momentos –, a *samsara*, não o carma, é mais pesada quando o podre vem à tona? Isto é, ela retém mais a nossa roda da vida?

Monja Coen – Se nós nos viciamos, vamos dizer assim, naquilo que não é benéfico, se nós nos acostumamos com isso?

Cortella – Exatamente. E gostamos.

Monja Coen – Então, é mais difícil de se tornar nirvana, porque ficaremos na roda do sofrimento. Sendo um vício, ele leva ao sofrimento, não leva à plenitude de jeito nenhum. Como o rio nos leva à doença.

Cortella – No passado, Monja, falava-se muito dessa noção circular como roda da fortuna. A roda da fortuna é um conceito clássico no Ocidente. E fortuna é um termo no mundo latino que não significa riqueza. Fortuna é um sinônimo de sorte. Sorte é uma palavra francesa e azar é uma palavra árabe. Os franceses usam a noção de sorte como sendo ocasião. No português, nós usamos a noção de sorte como ocasião positiva. E usamos o árabe "azar" como ocasião negativa. Poucos idiomas usam duas palavras para a mesma coisa, como nós. Ora, a roda da fortuna é o número de ocasiões que a gente tem na vida para ser mais e melhor. É a roda do destino, alguns diriam.

Essa percepção de que a vida é circular é uma herança persa para nós. Em grande medida, ela veio para nós de **Zaratustra** ou Zoroastro. O zoroastrismo introduziu no Ocidente pelo Oriente a ideia de que a vida é cíclica, do grego *kyklos*, aquilo que vai e volta, vai e volta... O filósofo ocidental que mais trabalhou isso foi **Nietzsche**. Não é casual que ele tenha um livro chamado *Assim falou Zaratustra*, que depois virou até tema de música no filme *2001: Uma odisseia no espaço*. Aliás, esse é um filme que traz uma grande questão: qual é a nossa origem? Quando o monólito[*] é ali colocado, ele é colocado por quem? Alguém de fora? A primeira cena mais forte de **Stanley Kubrick** no filme – que é aquilo que **Arthur Clarke** produziu no livro – é quando um humano – o pré-humano, o proto-homem –, utilizando a caveira de um burro, consegue dominar outro com violência, o afastando e depois o matando. Ele comemora, e isso é visto como virtuoso. Porque vencer o outro vai ser entendido em alguns lugares como uma virtude por ser valentia, bravura – daí a noção de virtude como aquilo que é viril, isto é, que é macheza para homens ou mulheres.

---

[*] Na obra, grande bloco de pedra de origem desconhecida, cuja presença se associa à evolução da espécie humana. (N.E.)

Para o budismo, a dominação do outro, isto é, a ascendência sobre o outro, é de uma pessoa não valorosa? É isso? Se ela quer dominar, é fraca?

Monja Coen – Sem dúvida nenhuma. Veja, um dos paramitas se chama *virya*. E li num livro que é de onde vem a palavra "viril", de que você falou no começo da conversa, que significa energia, esforço. Que seria a fortaleza dentro das virtudes.

Cortella – É porque os idiomas europeus, especialmente o latim e o grego, são indo-europeus. Portanto, uma parte das coisas que a gente tem vem do sânscrito.

Monja Coen – Mas essa fortaleza não é de matar ou dominar o outro.

Cortella – Não, ela é de resistir.

Monja Coen – De resistir, de dominar a si mesmo. De conhecer a si mesmo, de manter-se em seus princípios, em seus valores, mesmo que haja inúmeras tentações. O fato de que podemos cair em tentação significa que também podemos sair dela. Podemos perceber que erramos e corrigir o erro. Por isso, a percepção é muito importante.

Cortella – No meu escritório, a gente tem um lema que antes era escrito e agora nem precisa mais, que diz que aqui só admitimos erros inéditos. O erro inédito é acolhido. O erro não inédito já não é erro; é tolice. Portanto, há outra percepção.

Apego ao desapego

Cortella – Eu tenho uma curiosidade, para aprendizado mesmo: como é que Sidarta migra de uma concepção de sociedade que vivia com deidades ou forças divinas próximas – segundo alguns cálculos, há 300 milhões de deuses ou deusas e forças divinas – para uma concepção sem deidade? Como é essa transição historicamente?

Monja Coen – Vamos dizer assim: esse menino rico, que hoje teria carros blindados e seguranças, de repente, um dia, sai e vê o mundo. Ele vê as pessoas comuns. Ele vê o sofrimento, a velhice, a doença e a morte. Quando entra em contato com essa realidade – que não era a do seu castelo, mas a da grande maioria das pessoas –, fica comovido e pergunta por que há sofrimento no mundo. Será que existe uma maneira de não haver sofrimento? O que são a vida e a morte? O que estamos fazendo aqui? Para que serve esta existência?

Certa noite, ele foge do castelo e se junta a um grupo de iogues.[*] Os iogues naquela época eram os filósofos. Eles se reuniam para filosofar embaixo das árvores e faziam exercícios durante os intervalos – daí saíram as posturas da ioga. Buda

---

[*] Termo utilizado para designar aqueles que se pautam por um conjunto de disciplinas físicas e mentais com o objetivo de atingir um estado de libertação. (N.E.)

passa a viver com esse grupo. Depois de um tempo, o professor deles fala a Buda: "Você entendeu muito, pode ser meu sucessor. Mas ainda falta alguma coisa". Buda reconhece que não encontrara tudo o que procurava e pede as bênçãos de seu professor para continuar sua jornada espiritual. "Preciso de práticas mais extremas", pensou o jovem Sidarta. Na ioga, isso é chamado de tapas. Ele se junta a um grupo de ascetas e passa a jejuar continuamente, ficando sem comer, sem beber, sem dormir, como se, ao não satisfazer as necessidades do corpo, pudesse acessar níveis superiores de consciência. Com o tempo, o jovem fica esquelético, sem nem conseguir andar direito. Certo dia, ao levantar, cai em seguida. Ele então percebe: "Não fiquei mais sábio; fiquei mais fraco". Ele se senta embaixo de uma árvore e aceita arroz-doce de uma pastora. Assim, alimentado e fortalecido, senta-se em zazen, em meditação. Por meio do processo meditativo, questiona-se sobre tudo. Desde antes, ele se questionava, já havia passado por esse treinamento com os iogues, por abstinências todas. Aquilo havia sido uma preparação para que ele encontrasse o que procurava – a verdade.

Durante os sete dias e as sete noites em que se senta só e em silêncio, surgem várias provocações. A primeira são pensamentos sobre seu pai, o reino, o filho e a esposa que abandonara. Mas Buda permanece firme em seu propósito. Em seguida, é provocado pela sensualidade, pelos prazeres sensuais. Aparecem mulheres lindas dançando, mas ele não se move. Depois, vêm energias prejudiciais, como a raiva, a inveja, o rancor, mas nenhuma delas o toca, como se houvesse uma redoma o protegendo por causa da sua determinação. A última provocação, que acho muito interessante, é quando o rei dos diabos – o diabo como dualidade, o que divide, separa – se aproxima de Buda dizendo: "Você agora é o máximo. Você é o melhor de todos. Você é o grande iluminado". Buda põe a mão sobre a terra, *humus*, de onde vêm as palavras "ser humano" e "humildade", e fala: "A terra é minha testemunha". É o momento da experiência mística, todas as dualidades transcendidas. Vê no céu a estrela da manhã e diz: "Eu, a grande Terra e todos os seres juntos, simultaneamente, nos tornamos o caminho".

Não há um eu separado que seja o caminho. Tudo o que existe é o caminho – essa é a percepção do que chamamos "não eu". Mas perceber isso foi um trabalho de muitos anos para Buda. Foi um esforço de procura de muitos anos. Não surgiu uma luz do céu de repente, do nada, e a iluminação aconteceu. Buda questionou todo o sistema no qual vivia, no qual viu que existiam a velhice, a doença e a morte. Ao refletir sobre o fato de que ele ficaria velho e morreria, que todos morreriam, Buda se pergunta: "E para que isso, então?".

Cortella – Interessante é que se diz que uma pessoa virtuosa é aquela que resiste às tentações. Que este mundo é um mundo de sedução, de perdição, portanto, onde podemos nos perder. No Evangelho de Marcos, os cristãos afirmam que Jesus teria dito: "De nada adianta ao homem ganhar o mundo se ele perder a sua alma". Isto é, de nada adianta ter toda a riqueza do mundo se a alma estiver perdida, fragmentada, *separada* – estou usando essa palavra de propósito, porque aquilo que separa, que afasta, em grego, é *diabolon*, de onde vem "diabo". Portanto, o mundo é diabólico. Nesse sentido, ser virtuoso é ser capaz de resistir às tentações. Isso marca um pouco a ética ocidental, que advém da ética hebraica, em grande medida. O judaísmo, que é a fonte ética do Ocidente junto com o Direito romano, tem, em grande medida, uma reflexão sobre resistir às tentações. Por exemplo, a mulher de Ló[*] é orientada: "Não olhe para trás. Não seja curiosa. Resista". E ela olha e vira uma estátua de sal. Jó[**] é fustigado com tudo o que as "forças do carma" podem fazer com alguém, mas ele resiste até o final. Nesse sentido, a salvação, isto é, uma vida de pureza e, portanto,

> Quando imaginamos o mundo que é tentador e que, para sermos virtuosos, temos de nos retirar dele, caímos numa armadilha perigosa até, que é a mitificação da miséria.

---

[*] Personagem bíblico do Antigo Testamento, Ló é avisado para sair com a esposa e as filhas de Sodoma, que seria destruída, sem olhar para trás. A mulher de Ló desobedece e vira uma estátua de sal. (N.E.)

[**] Outro personagem bíblico do Antigo Testamento, sua integridade é testada pelo diabo, que tira de Jó seus bens, seus filhos e sua saúde. (N.E.)

virtuosa vem da resistência ao mundo diabólico. Os cristãos contam que Jesus de Nazaré ficou 40 dias no deserto sendo tentado. E a última tentação – que é o nome de um livro, inclusive, de **Níkos Kazantzákis**, que também escreveu *Zorba, o grego* – é assemelhada a esta por que passa Buda. A última tentação de Cristo é quando o demônio, o *diabolon* – aquilo que os hebreus chamam de Satã, o adversário, o inimigo – leva Jesus ao alto de uma montanha e diz: "Tudo isto é seu. E tudo isto será seu. Tudo é seu, você é o maior. Fique comigo e você continuará sendo o maior". E Jesus não aceita. Por que estou contando um pouco essa ideia? Porque, quando imaginamos o mundo que é tentador e que, para sermos virtuosos, temos de nos retirar dele, caímos numa armadilha perigosa até, que é a mitificação da miséria. Isto é, o elogio à miséria: quanto mais pobre, mais salvo.

Monja Coen – Apego ao desapego.

Cortella – Exatamente.

Monja Coen – Como perceber essa linha tênue? As pessoas me perguntam: "Monja, eu gosto muito do budismo, mas posso ter casa própria?". É claro que sim. Pode ter casa própria, pode ter carro, pode ter o que quiser. Se não tiver, está bem também, mas, podemos "viver com". Isso não quer dizer, no entanto, que podemos roubar ou matar alguém para conseguir nossos objetivos. Mas podemos construí-los. Estar no mundo construindo coisas materiais, ter lucro com isso, não significa que esse seja o caminho do mal. Por isso, criticamos um pouco quando a Igreja católica diz "aos pobres o reino dos céus", como se aquele que tem alguma coisa não fosse para o céu. Não é nada disso. O apego é diferente. Ele é como uma cola na mão, que limita a liberdade.

Cortella – Parte da mensagem original cristã não é a ausência de propriedade, mas sim o não apego à propriedade. Um dos fundamentos da ética no Ocidente é a recompensa da vida eterna. **Dostoiévski** colocou em *Os irmãos Karamázov* a grande questão da ética ocidental, que é: "Se Deus não existe, tudo é permitido". Por que ser bom, ter a conduta correta se não vai acontecer nada com quem não faz o mesmo? E uma das grandes discussões é se a existência do inferno e do céu, se a existência da recompensa e da danação, é que faz com que tenhamos uma boa virtude e, portanto, nos afastemos dos vícios. A inexistência disso levaria alguém a bem conduzir-se em nome de quê? No fundo, essa é uma discussão sobre qual é o fundamento da boa ação. **Umberto Eco**, um homem estupendo, ateu, tem um livro que em português se chama *Em que creem os que não creem*. Nesse livro, ele dialoga exatamente sobre isso com um grande cardeal da Igreja católica que já faleceu, **dom Carlo Maria Martini**, que era bispo de Milão. Qual é o fundamento da virtude quando não se tem uma crença numa força que pode premiar ou castigar? Há uma discussão que também Umberto Eco vai trazer com *O nome da Rosa*, que é a história da maior biblioteca guardada pelos monges no século XIII. Sem dar *spoiler* desse belíssimo livro, ao ver as imagens do incêndio no Museu Nacional do Rio de Janeiro,[*] eu me lembrei de uma das cenas d'*O nome da Rosa*, em que a biblioteca pega fogo. Um dos monges que ali está é um amante dos livros, um amante do conhecimento. E ele tem que carregar alguns livros para fora. Considerando que eram todos manuscritos, isto é, não existia a imprensa, que livros você levaria? Ele só vai conseguir carregar três ou quatro. Às vezes me pergunto – e não tenho a resposta completa –, dos livros que vieram da Antiguidade e que estavam guardados naquele mosteiro, quais eu levaria? Porque o resto iria se perder. O que eu carregaria comigo se só pudesse levar três? É aquela pergunta: "O que você levaria para uma ilha deserta se só pudesse levar uma única coisa ou um único livro?". No fundo, quais são os meus critérios? Eu estou me alongando nisso por uma razão: há um debate que acontece nesse mosteiro entre dominicanos e franciscanos. E a discussão é que os franciscanos, obviamente inspirados em são Francisco, defendem que não pode haver apego à propriedade. Portanto, a Igreja naquele momento não podia ser proprietária. E não podia ter riqueza.

---

[*] Incêndio ocorrido em setembro de 2018, que destruiu esse que era o maior museu de história nacional e antropológica da América Latina, com mais de 20 milhões de itens em seu acervo, e o mais antigo do Brasil, com 200 anos. (N.E.)

Já os dominicanos defendiam que a riqueza era necessária para a obra e a salvação. Toda essa discussão se dá em torno de algo que hoje pareceria estranho, mas do ponto de vista teológico, Monja, tem a seguinte importância: Jesus tinha um manto. Ele usava esse manto ou era dono dele? Isto é, aquele manto que Jesus usava para se proteger era dele propriedade ou era apenas um uso transitório? Não é questão tão banal, porque ela vai definir que tipo de instituição vai ser organizada. A mitificação da pobreza e, portanto, a noção de um desapego completo, ideologicamente já serviu para dizer: "A salvação só virá se houver a miserabilidade da posse". É claro que isso serviu para muita gente estar aí na conformidade.

Monja Coen – Antes de morrer, Buda faz seu último discurso, e nesses ensinamentos está um texto chamado em japonês de "Hachi dainin gaku", isto é, "Os oito aspectos de um grande ser". Buda diz que, primeiro, é preciso se libertar da ganância, do apego, inclusive, do apego ao desapego. Por exemplo, nós, monjas e monges, temos mantos muito simples, de algodão. Mas também temos mantos de brocado, que usamos em certas liturgias religiosas. Se nos apegarmos ao manto dourado, estaremos em erro. E se nos apegarmos ao manto rasgado, também estaremos em erro.

O segundo aspecto de um grande ser é a satisfação, o contentamento com a existência. Depois, apreciar a quietude. Karnal fala do ócio criativo, que acho muito interessante.

Cortella – Ele cita **Domenico de Masi**, que tem um livro com esse título. Eu gosto de falar em ócio *recreativo*. Porque o ócio criativo, em exagero, vira trabalho. Mas o ócio recreativo é se desocupar intencionalmente para se divertir.

Monja Coen – É o prazer na existência. Meu professor sempre dizia: *"Enjoy your life. Appreciate your life"*. Aprecie a vida, pare de reclamar tanto, de resmungar...

O quarto aspecto é diligência, que é esforço correto. O quinto é a memória correta, isto é, lembrar-se da verdade. Não é só lembrar do que fizemos ontem. Isso não é tão importante se não houver um significado maior.

O sexto aspecto é *samadhi*, que é viver na verdade, o estado de imperturbabilidade. Em seguida surge a sabedoria, *prajna*, que é o sétimo aspecto, de perceber-se interligado a tudo. A sabedoria evita a fala inútil, que é o último aspecto. Não devemos, portanto, perder tempo com discussões à toa, falando aquilo que não serve para nada e que perturba a mente.

Vida partilhada, vida virtuosa

Monja Coen – Há três forças principais, três venenos que pegam o ser humano: a ganância, a raiva e a ignorância. É por isso que falamos que a sabedoria, a compreensão clara, é a mãe de todas as virtudes, porque ela acaba com o vício.

Cortella – A sabedoria, mas não o conhecimento. Porque se sabemos que algo faz mal, isso não significa que deixemos de fazê-lo.

Monja Coen – Sim, mas eles podem estar juntos. Em chinês, as palavras "conhecimento" e "sabedoria" trabalham juntas. Elas ficam perto uma da outra.

Cortella – Eu, por exemplo, fui fumante durante 30 anos. Eu sabia do malefício, mas fiquei três décadas nesse vício com conhecimento. Isso significa que eu tinha conhecimento, mas não tinha sabedoria.

Monja Coen – E um dia você parou de fumar.

Cortella – Sim, a sabedoria chegou.

Monja Coen – Ela pode demorar.

Cortella – No meu caso, eu parei por sabedoria. Mas poderia não o ter feito. Poderia ter sido por uma ordem: escolher a vida ou a morte.

Monja Coen – Eu tenho um aluno que escolheu a morte. Ele fumou até o fim e morreu.

Cortella – Essa junção de sabedoria com conhecimento no campo do Ocidente, para nós, ela não coincide. Na nossa área da educação, dizemos que, normalmente, o tempo de magistério, nossa vida "útil", é de 30 anos: nos primeiros dez anos, a gente ensina aquilo que não sabe – tanto que tem que estudar o tempo todo para poder ensinar. Nos dez anos seguintes, a gente ensina o que sabe. E nos dez anos finais, ensina o que deve. Ora, essa terceira fase é a sabedoria.

Monja Coen – Minha mestra dizia assim: "Em 10 anos, você faz um monge; em 20, um professor; e em 30, um mestre".

Cortella – Pois é. A ideia desse ciclo permite que a gente entenda que há uma distinção entre sabedoria e conhecimento.

Você falava dos três venenos... A noção de ganância é, sem dúvida, uma conduta viciosa, porque é a ideia de que só "eu" mereço. E se eu mereço, é meu. Se é meu, pegarei como quiser. É imaginar que a regra da vida é cada um por si e Deus por todos. Mas não é. Como dizia **Mahatma Gandhi**: "Olho por olho, uma hora acabaremos todos cegos". O resultado da ganância, se praticada não como vício, mas como virtude, é a autofagia, a autodestruição. É a nossa incapacidade de convivência. E eu entendo que essa é uma condição que está absolutamente no centro do budismo. Aliás, algo que gosto de lembrar é que eu sou o centro, mas não sou o único deles. Eu sou o centro, mas não sou o único centro que existe.

Monja Coen – Quando duas pessoas vão se casar, por exemplo, eu digo que cada uma é o centro da sua própria mandala, da mandala da sua vida. Quando o casamento acontece, há um ponto onde essas duas mandalas individuais se tocam e criam uma terceira mandala.

Nós todos formamos mandalas com muitas pessoas. Nós não perdemos o nosso centro, mas criamos outros centros com outras pessoas. É algo incrível.

Cortella – E é uma ideia muito generosa. **Gilberto Dimenstein** faz quase uma alegoria que acho magnífica. Ele diz que a generosidade, portanto a reversão da ganância, é quando eu, tendo na minha mão uma vela acesa e você, uma vela apagada, acendo a sua vela com a minha, e nós dois ganhamos luz. Nada perco ao acender a vela que está na sua mão, só ganho. Mas se guardo a minha vela acesa só para mim ou tomo a sua vela, vou ter menos claridade, que é aquilo que desejo com a vela.

Monja Coen – A cerimônia de saída do mosteiro é assim: cada monástica leva uma vela apagada na mão e a acende na vela da abadessa. Depois disso, pode-se ir embora.

Cortella – Que coisa magnífica, maravilhosa! Tem uma história que não posso deixar de contar, com a qual sempre ríamos quando estava, na juventude, em um convento. Era a história de uma pessoa que tinha uma dificuldade imensa com o mundo atual, com a turbulência, com as agruras da vida. Essa pessoa tinha muitos recursos, muito dinheiro, mas não era feliz. E ela queria, de alguma maneira, ir para algum lugar onde pudesse ser feliz. Sugeriram-lhe, então, um mosteiro no Nepal onde ela lá ficaria numa cela conventual fechada. Ela não poderia falar com ninguém nem encontrar ninguém, e ali teria que ficar por um período mínimo de dez anos. Ela disse: "É isso que quero para a minha vida. Quero um lugar de paz, harmonia". Ao chegar a esse convento, ela foi acolhida, tiraram dela todas as propriedades do mundo. Deram-lhe uma veste monacal e ela foi trancada numa cela. O monge que dela tinha responsabilidade disse: "Eu abrirei a cela daqui a dez anos. A comida virá por baixo da porta, suas necessidades sairão pelo duto que você utilizar. E quando eu abrir a cela, você poderá dizer duas palavras". Ela ficou fechada dentro da cela no mosteiro e, dez anos depois, quando o monge abriu a porta, disse: "Cama dura". O monge fechou a porta e ela ficou lá por mais dez anos.

Só podemos ser virtuosos exatamente porque há a presença da possibilidade do vício. Se não temos escolha, não há virtude nisso.

No vigésimo ano, o monge abriu a cela e ela disse: "Comida ruim". Ficou lá mais dez anos. No trigésimo ano, o monge abriu a cela novamente e ela disse: "Vou embora". [*Risos*]

Essa anedota era contada para nós porque o voto de silêncio fazia parte de várias situações do convento onde eu vivia. Eram três os votos que fazíamos, que depositávamos na urna da comunidade: a obediência ao superior, a castidade como sendo uma escolha do não exercício do sexo com a presença da sexualidade e a pobreza como sendo o não apego aos bens materiais. E havia essa anedota para lembrar o quanto no isolamento, na monotonia, na incapacidade de comunicação e, portanto, na quase incapacidade de ser vicioso, não há virtude que se construa. Só podemos ser virtuosos exatamente porque há a presença da possibilidade do vício. Se não temos escolha, não há virtude nisso.

Monja Coen – E nem vício...

Cortella – Claro, porque há ausência de escolha. Daí retorno àquela sua questão ao falar do carma e, portanto, da possiilidade da livre escolha, que nós ainda temos uma brecha de 5%.

Monja Coen – Existe uma história antiga sobre um mosteiro onde todas as noites chegava um senhor idoso. Era no meio da floresta, e ninguém sabia como aquele idoso entrava e assistia à palestra do abade. Numa determinada noite, esse senhor foi falar com o abade e lhe disse: "Eu fui abade deste mosteiro. Mas uma vez me perguntaram se o ser iluminado está sujeito à lei do carma e eu disse que não. Por isso, estou renascendo como uma raposa há quinhentas vidas. Amanhã, o senhor vai encontrar uma raposa morta. Faça o funeral de um monge para ela porque sou eu".

Não é fascinante essa história? O ser iluminado está sujeito à lei do carma? Sim. Não há nada que esteja fora dela. Se dermos o ensinamento errado, por exemplo, vamos receber isso de volta – por isso, a responsabilidade do que fazemos.

Cortella – A escolha no campo daquilo que é a adesão consciente, aquilo que, para mim, Monja, é uma outra virtude é a ideia da sinceridade. Isto é, a capacidade de não dissimular, de praticar aquilo que se fala, de modo que não haja um abismo entre a fala e a prática, entre a convicção e a ação. Uma pessoa autêntica é aquela que coincide com ela mesma. Isto é, ela não é uma ruptura, não é apenas uma simulação, um simulacro de unidade. Ela é o que é. Ela age como pensa e pensa como deve agir. No *Pequeno tratado das grandes virtudes*, Sponville fala em fidelidade, que está ligada à ideia de confiabilidade, isto é, de veracidade, aquilo que é fiel a si, aos princípios, às coisas... Mas eu não lido tanto com esse conceito, porque a noção de fidelidade, em nosso idioma, está muito conectada às relações pessoais, especialmente às relações de convivência, matrimoniais. Já em francês, a ideia quase seria liberdade, igualdade, fraternidade e fidelidade – fidelidade à Igreja, ao Partido, à pessoa, à crença...

Monja Coen – Ao Corinthians...

Cortella – Ao melhor time, que é o Santos... [*Risos*]

Monja Coen – E a ideia de que Deus é fiel?

Cortella – É a ideia francesa, que é fortíssima. Acho que podemos imaginar a fidelidade como sendo uma carga de autenticidade, de honestidade, de integridade. Uma pessoa autêntica, honesta, íntegra é fiel. Ser fiel significa dar sequência prática àquilo em que se acredita e que se pratica. Mas eu não vejo a fidelidade como uma virtude por si mesma. Acho até que, no nosso modo brasileiro de olhar, se introduzirmos a noção de fidelidade desse modo, ela soará mais como virtude ligada ao campo do matrimônio. E aí, quando a Igreja coloca a ideia de que Deus é fiel, significa que Ele não abandona. Ele não larga, não trai... A noção de fidelidade está ligada à ideia de jamais fazer uma delação premiada.

O que Sponville chama de fidelidade eu chamo de autenticidade. Essa ideia de autenticidade, de ser como é, de certa maneira, é a noção mesma, para mim, de sinceridade, como virtude, como coerência. Mas eu faço uma distinção que é difícil, às vezes, de lidar entre a sinceridade e a franqueza. Sempre digo que devemos tomar cuidado porque a vida não seria possível se nós fôssemos francos o tempo todo. A sinceridade é um requisito; a franqueza é uma escolha eventual e especial.

Monja Coen – Uma jovem noiva me disse: "Eu falo tudo o que penso para o meu noivo". Não fale. Não faça isso porque o casamento acaba.

Cortella – A sinceridade é: tudo o que eu disser tem que ser verdade. A franqueza é eu dizer tudo o que penso e o que quiser.

Monja Coen – E que nem pensei direito e falei.

Cortella – A franqueza é perigosa. A vida só consegue ter um pouco de harmonia se não dissermos tudo o que pensamos o tempo todo. Nós precisamos de cautela para não sermos ofensivos. A franqueza deve vir à tona apenas quando ela for uma obrigação ou um pedido. Se você me pedir: "Seja franco", aí eu o serei. Ou se eu for corrigir um trabalho seu, tenho a obrigação de ser franco e dizer se algo está equivocado. Mas, do contrário, a franqueza tem que ser moderada, parcimoniosa. Já a sinceridade, não, ela é um requisito de presença. Dentro da religião, por exemplo, há pessoas que têm uma prática muito pouco sincera porque ela não é autêntica, não coincide com o que deveria ser. Nunca me esqueço de uma piada, outra anedota antiga. Ela conta que havia uma igreja em que o pároco era muito idoso. Ele se aposenta e vai embora para outra cidade. Um jovem padre de 25 anos assume e, depois de um mês, liga desesperado para o padre idoso: "Eu não sei o que fazer. A igreja está lotada de morcegos. Tem morcego para todo lado! Durante a missa, eles ficam perturbando, voando lá em cima, dão rasantes nas pessoas, soltam as suas necessidades lá do alto... Eu queria saber se o senhor tem alguma sugestão". "Ah, vou dar uma sugestão do que fiz. Quando cheguei a essa igreja há mais de 40 anos, eu também era jovem. Havia morcegos em alta escala, e eu decidi fazer algo para que eles se fossem. Um dia, juntei todos os morcegos no altar e os batizei como católicos. Eles nunca mais voltaram." [*Risos*]

Embora essa ideia possa agredir algumas formas de pensar, ela nos leva a refletir: o que é o autêntico? É aquele que é batizado? O que é uma pessoa virtuosa? É aquela que diz que é? Uma pessoa boa é aquela que se identifica como tal ou é quem pratica a bondade? Voltando a Aristóteles, a virtude é algo a ser ensinado e praticado, a ser vivido, e não a ser dito.

Monja Coen – Começa-se imitando, até que aquilo se torna verdadeiro, autêntico. Mas existem pessoas que só imitam: "Vou fazer uma boa ação. Veja como estou fazendo uma boa ação". Aí elas se perdem, e há muitas pessoas que caem nessa armadilha. Elas dizem: "Eu quero fazer o bem, vou ser uma pessoa virtuosa, veja como estou sendo boa e virtuosa", mas com isso se perdem, porque colocam o "eu" em primeiro lugar. Se digo: "Eu faço, eu sou boa", perco a humildade, fico repleta de orgulho, e perco também o poder da virtude.

A escola a que pertenço se chama zen, que significa meditar. Portanto, a nossa prática principal é a meditação. Mas uma meditação de ficar parada imaginando coisas não serve. Nós temos textos e guias, vamos dizer assim, de como acessar aquilo que é o "eu não eu", que é algo maior do que o eu, o eu maior – fizeram até um filme,[*] de que nós dois participamos.

---

[*] Documentário *Eu maior*, de Fernando Schultz e Paulo Schultz, 2013. (N.E.)

Se eu ficar meditando só pensando na minha história, numa briga que tive pela manhã ou no que vou ter que fazer depois, não estou meditando; estou pensando. Como acessar, então, um outro estado mental, que, de novo digo, é nosso direito e dever de nascença, porque faz parte do nosso cérebro, da nossa condição humana? Pela meditação. Quer dizer, nem usamos a palavra "meditar" porque, em português, esse é um verbo muito usado como transitivo, que exige um objeto: meditar sobre a vida, sobre Deus... Não, zen é a mente conhecendo a própria mente, o eu conhecendo a si próprio. Eu medito para me conhecer. Mas esse autoconhecer significa sair de mim mesma, do meu saquinho de pele, para perceber que estou inter-relacionada a tudo o que existe, a todos os seres e a todos os sentimentos, a todos os vícios e a todas as virtudes. E tenho que ir além de. Não fico apegada a ser boa nem a ser má, mas a perceber isso no momento em que está se manifestando e à escolha que posso fazer, porque me torno consciente, tomo ciência de mim mesma. Eu percebo – acho essa palavra muito boa – como me manifesto no mundo. De onde vem a minha maneira de me manifestar e de ser? De meus pais, de meus avós, de meus professores, de algumas das minhas escolhas e de coisas que nem escolhi. Tenho que conviver com isso, usar tudo de forma adequada. Tenho que me conhecer. No zen, portanto, o princípio é conhecer-se em profundidade, mas esse autoconhecimento transcende o eu, não fica parado na própria história pessoal, na vida do momento em que se nasce até a idade de agora. Isso também faz parte, a meditação começa por aí, mas ela tem que ir além. Se ela não for além, não é meditação, não é o zen.

Cortella – Há duas frases que Sócrates usava o tempo todo. Uma delas é um princípio de humildade que acho que é o ponto de partida para o caminho virtuoso: "Só sei que nada sei". Obviamente, ele não estava dizendo que nada sabia de fato, e sim que nada sabia por inteiro. Só sei que nada sei por completo. Só sei que nada sei que só eu saiba. Isso é admissão de humildade, não de ignorância. Mas Sócrates tem uma segunda frase, que tem a ver com isso que você falou, Monja, e que estava no templo de Apolo: "Conhece-te a ti mesmo". Ora, se "só sei que nada sei" é a virtude de partida para chegar ao lugar que é a vida virtuosa, o método, o caminho – *méthodos*, em grego, é "caminho" – para isso é "conhece-te a ti mesmo". Isto é, a consciência de si, o autoconhecimento. Olhe para si. Não olhe para si para ficar dentro de si. Olhe para si para, sabendo-se, se colocar no mundo. Essa ideia de autoconhecimento foi tripudiada nos últimos 30 anos com um termo absurdo, que é "autoajuda". Às vezes me perguntam e sempre que posso tomo esse tema: "Você escreve livro de autoajuda?". Respondo: "Sem dúvida. Inclusive porque sou da área de Filosofia, e o princípio socrático é 'conhece-te a ti mesmo'". O que mudou na história não foi o conceito de Filosofia, mas sim o de autoajuda. A Filosofia continua sendo a ideia do "conhece-te a ti mesmo", para existirmos com outros de uma maneira em que reverenciamos a vida e fazemos por merecer. Agora, a ideia de uma autoajuda se banaliza quando entendida como sendo a rota externa. A autoajuda, no meu entender, é banal quando ela é prescritiva, e não quando é orientativa ou sugestiva. O que marca a Filosofia é, em vez de dizer para as pessoas "pensem isso", dizer "pense nisso". Acho que a boa autoajuda, isto é, o autoconhecimento, "conhece-te a ti mesmo", é quando se é capaz de dizer para as pessoas: "Pense nisso". Dizer: "Pense isso" é prescritivo, é normativo, é canônico e, portanto, restringe a capacidade mais forte de alguém que é ser livre. Quando você fala que é preciso que se olhe para si mesmo, que se tome conhecimento, ciência de si, é difícil imaginar que a consciência seja suficiente, mas ela é essencial naquilo que é. É claro que vamos dar uma tropeçada aí em Marx, porque nas *Teses sobre Feuerbach*,[*] na décima primeira, ele nos cutuca, os filósofos, e diz: "Os filósofos até hoje se limitaram a interpretar o mundo, e está na hora de transformá-lo".

Monja Coen – Gandhi diz: "Somos a transformação que queremos no mundo".

Cortella – Exatamente. Para encerrar, eu queria lembrar que a ideia de uma vida virtuosa, acima de tudo, é testemunhal.

---

[*]   As teses foram escritas em 1845 e publicadas pela primeira vez em 1888. (N.E.)

No início do livro, falamos da virtude como sendo algo masculino, porque vem de *vir*, "viril". E a ideia de testemunha também é masculina. Desde o passado antigo, especialmente no mundo dos mesopotâmicos, dos sumérios, dos hebreus, para fazer um juramento, era preciso segurar os testículos do patriarca, isto é, apoiado na ascendência e na descendência, naquilo que era fonte de autoridade. No livro de *Gênesis*, há trechos que dizem: "Segurou o meio de suas pernas e fez seu juramento". Não estou usando testemunha nesse sentido, mas para que uma pessoa seja virtuosa – há uma expressão que veio desse período, que é até feia para constar aqui – é preciso "ter colhão".

Monja Coen – Os textos antigos descrevem que para se tornar um buda é preciso ter pênis. E é o pênis coberto como o de um cavalo. Isto é, se foi circuncidado, não vira buda. Não é interessante? Existe também um sutra que conta sobre uma menina que se tornou buda. Mas, por um momento, ela tomou a forma de um homem, do contrário não poderia ser buda. Aí entramos na questão da discriminação e do preconceito.

Cortella – Acho que a vida virtuosa não é a vida fechada em si. Não é a concepção solipsista de só olhar para si mesmo. A vida virtuosa não é egoísta, e sim uma vida de partilha, de doação, de capacidade. Isto é, ela é inspiradora. Volto aqui aos seis mundos do budismo, onde circulamos nas nossas contradições, nos nossos vários modos de ser e fazemos a boa escolha. A boa escolha é aquela que não diminui a vida, nem minha nem a de outros. Acho que a boa vida é a recusa ao biocídio, a recusa ao assassinato da vida nas suas múltiplas formas.

Monja Coen – Dê vida à vida.

GLOSSÁRIO

Agostinho (354-430): Nascido Agostinho de Hipona, foi um bispo católico, teólogo e filósofo latino. Considerado santo e doutor da Igreja, escreveu mais de 400 sermões, 270 cartas e 150 livros. É famoso por sua conversão ao cristianismo, relatada em seu livro *Confissões*.

Alighieri, Dante (1265-1321): Escritor italiano nascido em Florença, algumas de suas obras mais importantes são *Vida nova* e *Divina comédia*. Na primeira, Dante narra a história de seu amor platônico por Beatriz. A segunda é um poema alegórico filosófico e moral que resume a cultura cristã medieval.

Allen, Woody (1935): Cineasta, roteirista, escritor e ator americano, a maioria de seus filmes trata das neuroses humanas, sobretudo daquelas características dos moradores das grandes cidades. Seus enredos apresentam sempre uma crítica mordaz e sutil. Em sua vasta filmografia constam títulos como *Noivo neurótico, noiva nervosa* e *A rosa púrpura do Cairo*.

Alves, Rubem (1933-2014): Teólogo, educador, psicanalista e escritor brasileiro, publicou numerosos livros sobre religião, educação e questões existenciais, além de obras voltadas para o público infantojuvenil. De escrita simples e frases curtas, seus livros foram traduzidos para várias línguas. É autor de *O amor que acende a lua, Quer que eu lhe conte uma história?* e *Desfiz 75 anos*, entre outros.

Arendt, Hannah (1906-1975): Filósofa política alemã nascida em uma família judaica, estudou nas universidades de Koniberg, Malburg, Freiburg e Heidelberg. Em decorrência da perseguição nazista, mudou-se para os Estados Unidos em 1941, onde escreveu grande parte de suas obras, além de lecionar. Sua filosofia baseia-se na crítica à sociedade de massas e à sua tendência de atomizar os indivíduos. Entre numerosas obras, destacam-se *As origens do totalitarismo* e *A condição humana*.

Aristóteles (384-322 a.C.): Filósofo grego, é considerado um dos maiores pensadores de todos os tempos e figura entre os expoentes que mais influenciaram o pensamento ocidental. Discípulo de Platão, interessou-se por diversas áreas, tendo deixado um importante legado sobre lógica, física, metafísica, moral e ética.

Arns, Zilda (1934-2010): Médica pediatra e sanitarista catarinense, foi fundadora e coordenadora da Pastoral da Criança e da Pastoral da Pessoa Idosa e indicada três vezes ao Prêmio Nobel da Paz. Até a sua morte, no terremoto do Haiti, em janeiro de 2010, Zilda coordenava 155 mil voluntários em mais de 32 mil comunidades do Brasil.

Bacon, Francis (1561-1626): Filósofo e ensaísta inglês, atuou ainda como político. Considerado por alguns como o fundador da ciência moderna, dedicou-se particularmente ao estudo da metodologia científica e do empirismo. Sua principal obra filosófica é o *Novum Organum*.

Barros, Manoel de (1916-2014): Advogado, fazendeiro e poeta conhecido nacional e internacionalmente, foi um dos mais originais e importantes escritores do Brasil. Recebeu diversos prêmios, como o Cecília Meireles, concedido a ele pelo Ministério da Cultura em 1998. Tinha como principal característica a liberdade para inventar palavras e conceitos. Entre suas obras, encontram-se *Gramática expositiva do chão*, *O livro das ignoräças* e *Livro sobre nada*.

Barros Filho, Clóvis de (1965): É doutor em Ciências da Comunicação pela Escola de Comunicações e Artes da Universidade de São Paulo (USP), onde obteve livre-docência. Palestrante há mais de dez anos no mundo corporativo, é autor de vários livros sobre filosofia moral, entre eles *Ética e vergonha na cara!*, em parceria com Mario Sergio Cortella, e *Felicidade ou morte*, com Leandro Karnal.

Bial, Pedro (1958): Apresentador de televisão, jornalista, escritor, cineasta e poeta brasileiro, atua principalmente na televisão, sendo conhecido por ter apresentado os programas *Fantástico* (1996-2007), *Big Brother Brasil* (2002-2016) e *Na Moral* (2012-2014). Tem vários livros publicados, entre eles *Gerações em ebulição: O passado do futuro e o futuro do passado*, em parceria com Mario Sergio Cortella. Desde 2017 apresenta o *talk-show Conversa com Bial*.

Boff, Leonardo (1938): Teólogo brasileiro, escritor com mais de 60 livros publicados e professor universitário, é respeitado pela sua história de defesa das causas sociais, além de debater também questões ambientais. Em 1970, doutorou-se em Filosofia e Teologia na Universidade de Munique, Alemanha. Ao retornar ao Brasil, ajudou a consolidar a Teologia da Libertação no país.

Bonder, Nilton (1957): Rabino e líder espiritual da Congregação Judaica do Brasil, possui doutorado em Literatura Hebraica pelo Jewish Theological Seminary. É autor de livros reconhecidos nacional e internacionalmente (Holanda, Itália, Alemanha, Estados Unidos, Coreia do Sul, Espanha e República Tcheca) sobre diversos temas vistos pela ótica judaica.

Buda: Um dos títulos, ou o título principal, de Sidarta Gautama, fundador do budismo, significa "o que despertou", "o iluminado". Não se sabe ao certo a data em que nasceu, mas acredita-se que tenha sido por volta de 563 a.C., no atual Nepal, com morte em torno de 483 a.C. Filho de reis, o príncipe Sidarta desde cedo demonstrou interesse pela meditação e pelo pensamento filosófico. Preocupado com o sofrimento humano, deixou palácio e título para buscar a iluminação.

Calvino, João (1509-1564): Teólogo, líder religioso e escritor francês, foi o pai do calvinismo – reforma protestante que impôs hábitos austeros e puritanos aos seus seguidores e que se espalhou por vários países da Europa Ocidental. Para fugir à perseguição quando o protestantismo foi declarado ilegal, Calvino abandonou a França e instalou-se na Suíça, onde publicou, em 1536, sua obra fundamental, *Instituição da religião cristã*, que reunia suas doutrinas protestantes.

Casali, Alípio: Mestre em Filosofia da Educação e doutor em Educação, ambos pela Pontifícia Universidade Católica de São Paulo, possui pós-doutorado em Educação pela Universidade de Paris. Foi vice-reitor da PUC-SP e secretário municipal na cidade de São Paulo. Atualmente é professor titular do Departamento de Fundamentos da Educação da PUC-SP, onde é docente e pesquisador. Atua como consultor sobre ética nas organizações em empresas públicas e privadas.

Clarke, Arthur (1917-2008): Escritor britânico, inventor autodidata e autor de novelas e diversas histórias de ficção científica, é autor de *A sentinela*, conto publicado em 1951 com o título *Sentinel of eternity* e que inspirou Stanley Kubrick a produzir o filme *2001: Uma odisseia no espaço*, lançado em 1968.

Comte, Augusto (1798-1857): Importante filósofo e sociólogo francês do século XIX, ficou conhecido por seu método geral do positivismo, baseado na observação dos fenômenos, em oposição ao racionalismo e ao idealismo. É autor de *Opúsculo de filosofia social* e *Curso de filosofia positiva*, entre outras obras.

Comte-Sponville, André (1952): Humanista agnóstico, como ele mesmo se define, é um dos representantes da nova escola da filosofia francesa. Tem vários livros publicados, dentre os quais se destacam *Pequeno tratado das grandes virtudes*, *A filosofia* e *A felicidade, desesperadamente*.

Confúcio (552-479 a.C): Foi o mais famoso filósofo e pensador político da China. Seguiu uma brilhante carreira de professor, demonstrando grande conhecimento nas mais variadas áreas, de história e aritmética a poesia, música e caligrafia. Infelizmente, Confúcio não deixou nenhuma obra escrita, mas seus discípulos coletaram pequenos provérbios do mestre, além de diálogos com ele, e os reuniram em um texto intitulado *Os analectos*.

Dalai-lama (1935): Tenzin Gyatso é nome do 14º dalai-lama, líder espiritual tibetano. Ganhou o Prêmio Nobel da Paz de 1989, em reconhecimento à sua campanha pacifista para acabar com a dominação chinesa no Tibete. Após uma rigorosa preparação, que incluiu o estudo do budismo, de história e filosofia, assumiu o poder político em 1950, ano em que o Tibete foi ocupado pela China. Em 1959, após o fracasso de uma rebelião nacionalista contra o governo chinês, exilou-se na Índia, onde permanece até hoje.

Darío, Rubén (1867-1916): Escritor nicaraguense, iniciador e máximo representante do modernismo literário em língua espanhola, é possivelmente o poeta que teve a maior e mais duradoura influência na poesia do século XX no âmbito hispânico. É chamado de *príncipe de las letras castellanas*.

De Masi, Domenico (1938): Sociólogo italiano, é conhecido pelo conceito de "ócio criativo", que dá título a um de seus livros. É autor também de *A emoção e a regra, A sociedade pós-industrial* e *O futuro do trabalho*, entre outras obras.

Descartes, René (1596-1650): Filósofo e matemático francês, por vezes chamado de "o fundador da filosofia moderna", é considerado um dos pensadores mais importantes e influentes da história do pensamento ocidental. Inspirou contemporâneos e várias gerações de filósofos posteriores. Sua mais célebre obra, *Discurso do método*, foi publicada em 1637 na França.

Dimenstein, Gilberto (1956-2020): Jornalista, obteve reconhecimento dentro e fora do Brasil por suas reportagens investigativas. Foi agraciado com o Prêmio Jabuti de Livro do Ano de Não Ficção e ganhou o Prêmio Nacional de Direitos Humanos. Criou e coordenou a plataforma Catraca Livre, além de ter sido idealizador da Cidade Escola Aprendiz, experiência de educação comunitária considerada referência mundial pela Unesco e pelo Unicef.

Dom Carlo Maria Martini (1927-2012): Cardeal italiano e arcebispo emérito de Milão, é considerado um dos mais progressistas cardeais da história da Igreja. Defendia uma Igreja mais compreensiva e aberta ao mundo. Escreveu várias obras, entre elas *Em que creem os que não creem?* em coautoria com Umberto Eco.

Dom Hélder Câmara (1909-1999): Religioso, bispo católico e arcebispo emérito de Olinda e Recife, ficou conhecido internacionalmente pela defesa dos direitos humanos. Além das atividades pastorais de sua Arquidiocese, atuou em movimentos estudantis, operários e ligas comunitárias contra a fome e a miséria. Recebeu diversos prêmios, dentre eles, o Prêmio Martin Luther King, nos Estados Unidos, e o Prêmio Popular da Paz, na Noruega. Também foi indicado ao Prêmio Nobel da Paz, em 1972. Publicou 23 livros, sendo 19 deles traduzidos para 16 idiomas.

Dostoiévski, Fiódor (1821-1881): Escritor russo, é considerado um dos maiores romancistas da literatura mundial. Inovador por explorar problemas patológicos como a loucura, a autodestruição e o assassinato, suas obras mais conhecidas são *Crime e castigo, Notas do subterrâneo* e *Os irmãos Karamázov*.

Eco, Umberto (1932-2016): Escritor e semiólogo italiano, foi autor de ensaios sobre as relações entre a criação artística e os meios de comunicação. Em 1980, tornou-se mundialmente famoso com seu romance de estreia, *O nome da rosa*. Entre outras de suas obras estão *Apocalípticos e integrados* e *Kant e o ornitorrinco*.

Fernandes, Millôr [Milton Viola Fernandes] (1923-2012): Como cartunista, colaborou nos principais órgãos de imprensa; como cronista, publicou mais de 40 títulos. Foi também dramaturgo de sucesso, artista gráfico com trabalhos expostos em várias galerias e no Museu de Arte Moderna do Rio de Janeiro. Escreveu roteiros de filmes, programas de televisão, *shows* e musicais, além de ter traduzido diversas obras teatrais. Irônico, polêmico, com seus textos e desenhos (des)construiu a crônica dos costumes brasileiros.

Frei Betto [Carlos Alberto Libânio Christo] (1944): Escritor consagrado, é um dos intelectuais brasileiros mais respeitados dentro e fora do país. Estudou Teologia, Filosofia, Antropologia e Jornalismo. Adepto da Teologia da Libertação, é ativista político e militante de movimentos pastorais e sociais.

Gandhi, Mahatma (1869-1948): Estadista indiano e líder espiritual, dedicou-se a lutar contra a opressão e a discriminação colonialista britânica. Desenvolveu a política da resistência passiva e da não violência. Liderou o movimento pela independência da Índia em 1947, mas acabou assassinado por um antigo seguidor.

Hanh, Thich Nhat (1926): Monge budista, pacifista, escritor e poeta vietnamita, sobreviveu à perseguição, a três guerras e a mais de 30 anos de exílio. É mestre de um templo no Vietnã cuja linhagem tem mais de 2 mil anos e recua até Buda. Autor de mais de cem livros, fundou universidades e organizações de serviço social. Foi indicado para o Prêmio Nobel da Paz pelo reverendo Martin Luther King Jr.

Hanks, Tom (1956): Ator, produtor, roteirista e diretor norte-americano, destacou-se em muitos filmes de sucesso. Recebeu diversos prêmios ao longo da carreira, incluindo o Oscar de melhor ator e um Globo de Ouro de melhor ator por sua interpretação em *Filadélfia*, e um Globo de Ouro, um Oscar, um prêmio do Screen Actors Guild e um People's Choice Award de melhor ator por seu papel em *Forrest Gump*.

Hegel, Georg Wilhelm Friedrich (1770-1831): Filósofo alemão muito influente, defendia uma concepção monista, segundo a qual mente e realidade exterior teriam a mesma natureza. Acreditava que a história é regida por leis necessárias e que o mundo constitui um único todo orgânico.

Heráclito (550-480 a.C.): Filósofo grego, baseava-se na tese de que o universo é uma eterna transformação, onde os contrários se equilibram. Considerado o "pai da dialética", formulou o problema da unidade permanente do ser diante da pluralidade e da mutabilidade das coisas transitórias.

Kant, Immanuel (1724-1804): Filósofo alemão, suas pesquisas conduziram-no à interrogação sobre os limites da sensibilidade e da razão. A filosofia kantiana tenta responder às questões: Que podemos conhecer? Que podemos fazer? Que podemos esperar? Entre suas obras, destacam-se *Crítica da razão pura*, *Crítica da razão prática* e *Fundamentação da metafísica dos costumes*.

Karnal, Leandro (1963): Professor da Universidade Estadual de Campinas (Unicamp), sua formação cruza história cultural, antropologia e filosofia. É palestrante e autor de várias obras. Pela Papirus 7 Mares publicou *Felicidade ou morte*, em parceria com Clóvis de Barros Filho, *Verdades e mentiras: Ética e democracia no Brasil*, com Mario Sergio Cortella, Luiz Felipe Pondé e Gilberto Dimenstein, e *O inferno somos nós: Do ódio à cultura de paz*, com a Monja Coen.

Kazantzákis, Níkos (1883-1957): Comumente considerado o mais importante escritor e filósofo grego do século XX, tornou-se mundialmente conhecido depois que, em 1964, baseado em seu romance homônimo, Michael Cacoyannis realizou o filme *Zorba, o grego*, cujo personagem-título foi interpretado por Anthony Quinn. É também o autor grego contemporâneo mais traduzido.

Kubrick, Stanley (1928-1999): Cineasta, roteirista, produtor de cinema e fotógrafo americano, foi autor de grandes clássicos do cinema, como

Spartacus, Dr. Fantástico, 2001: Uma odisseia no espaço, Laranja mecânica, O iluminado, Nascido para matar e *De olhos bem fechados*. É considerado um dos mais importantes cineastas de todos os tempos.

Locke, John (1632-1704): Filósofo inglês, ideólogo do liberalismo e do Iluminismo, é considerado o principal representante do empirismo britânico e um dos mais importantes teóricos do contrato social. Em oposição ao cartesianismo, sustentou que o ser humano nasce sem ideias inatas e que o conhecimento é determinado apenas pela experiência derivada da percepção sensorial.

Lombroso, Cesare (1835-1909): Psiquiatra, professor universitário e criminalista italiano, tornou-se famoso por seus estudos sobre a relação entre as características físicas e o desenvolvimento mental dos indivíduos. É de sua autoria a teoria do criminoso nato, segundo a qual os criminosos poderiam ser identificados por seus traços físicos. Expôs suas teorias nos livros *O homem delinquente* e *Gênio e loucura*.

Lutero, Martinho (1483-1546): Monge agostiniano e professor de Teologia germânico, tornou-se uma das figuras centrais da Reforma protestante. Foi contra diversos dogmas do catolicismo romano, contestando, sobretudo, o comércio de indulgências (perdão de Deus em troca de dinheiro), autorizado pelo papa Leão X. Propôs, com base em sua interpretação das Sagradas Escrituras, que a salvação não poderia ser alcançada por boas obras ou por méritos humanos, mas tão somente pela fé.

Madre Teresa de Calcutá (1910-1997): Missionária albanesa, Agnes Gonxha Bojaxhiu (seu verdadeiro nome) foi beatificada pela Igreja católica em 2003. Dedicou sua vida a ajudar os pobres, vivendo entre eles, fora do convento. Em 1979, recebeu o Prêmio Nobel da Paz pelos serviços prestados à humanidade.

Mandelli, Pedro (1952): Sócio-diretor da Mandelli Consultores Associados, é palestrante e professor nas áreas de modelos de organização, processos de mudança, liderança e desenvolvimento de pessoas. Ex-colunista da revista *Você S/A*, é autor de publicações sobre mudança organizacional, inovação, liderança e carreira, entre elas *Vida e carreira: Um equilíbrio possível?*, em parceria com Mario Sergio Cortella.

Marx, Karl (1818-1883): Cientista social, filósofo e revolucionário alemão, participou ativamente de movimentos socialistas. Seus estudos resultaram na obra *O capital*, que exerce até hoje grande influência sobre o pensamento político e social no mundo todo.

Mestre Eihei Dogen (1200-1253): Mestre zen-budista japonês, fundou a escola Soto de zen. É conhecido por sua obra traduzida como *Olho tesouro do verdadeiro darma*, uma coleção composta de 95 fascículos dedicados à prática budista e à iluminação.

Mussolini, Benito (1883-1945): Criador do fascismo, foi ditador da Itália de 1922 a 1943. Organizou esquadrões armados para instigar o terror e combater os socialistas e encabeçou uma campanha, com o apoio da burguesia e da Igreja, que interditou outros partidos políticos e sindicatos.

Nava, Pedro (1903-1984): Médico, escritor, poeta e memorialista brasileiro, sua obra autobiográfica capta o espírito de sua época e traça um painel da cultura brasileira do século XX. Publicou *Baú de ossos*, em 1972, com quase 70 anos. Seguiram-se *Balão cativo, Chão de ferro, Beira-mar, Galo das trevas, O círio perfeito* e *Cera das almas*, que deixou inacabado ao se suicidar com um tiro na cabeça após receber um telefonema misterioso. A obra foi publicada postumamente em 2006.

Nietzsche, Friedrich (1844-1900): Filósofo alemão, destacou-se pela extraordinária qualidade literária de seus escritos com conteúdo filosófico. Elaborou críticas devastadoras sobre as concepções religiosas e éticas da vida, defendendo uma reavaliação de todos os valores humanos. Algumas de suas obras mais conhecidas são *A gaia ciência, Assim falou Zaratustra, Genealogia da moral* e *Ecce homo*.

Pitágoras: Filósofo e matemático grego, acredita-se que tenha nascido por volta do primeiro quarto do século VI a.C., vindo a falecer ao final do mesmo século. Uma de suas contribuições mais importantes deu-se no campo da geometria com o Teorema de Pitágoras, por meio do qual é possível descobrir a medida de um dos lados de um triângulo reto a partir da medida dos outros dois ("a soma dos quadrados dos catetos é igual ao quadrado da hipotenusa").

Platão (427-347 a.C.): Um dos principais filósofos gregos da Antiguidade, discípulo de Sócrates, influenciou profundamente a filosofia ocidental. Para ele, as ideias são o próprio objeto do conhecimento intelectual. Escreveu 38 obras que, pelo gênero predominante adotado, ficaram conhecidas pelo nome coletivo de *Diálogos de Platão*.

Professor Hermógenes [José Hermógenes de Andrade Filho] (1921-2015): Militar, escritor e professor brasileiro, foi o divulgador no país da hataioga, conjunto de exercícios de postura e respiração que fazem parte da ioga. Descobriu os benefícios dessa prática para a saúde física e mental na década de 1960, após um diagnóstico de tuberculose avançada que quase o matou.

Rios, Terezinha (1943): Doutora em Educação pela Universidade de São Paulo (USP), é pesquisadora do Grupo de Estudos e Pesquisas sobre Formação de Educadores (Gepefe), da FE/USP. Autora de vários livros, publicou, em parceria com Mario Sergio Cortella, *Vivemos mais! Vivemos bem?: Por uma vida plena* pela Papirus 7 Mares.

Rousseau, Jean-Jacques (1712-1778): Filósofo e enciclopedista suíço, foi um dos grandes nomes do Iluminismo francês, conhecido por defender que todos os homens nascem livres. Sua obra abrange uma vasta dimensão de pensamento e de complexidade sobre a natureza humana e as estruturas sociais.

São Bento [Benedetto di Norcia] (c. 480-547): Monge italiano que fundou a Ordem de São Bento ou Ordem dos Beneditinos, uma das maiores ordens monásticas do mundo. Foi o criador da *Regra de São Bento*, que serviu de base para a organização da maioria das ordens religiosas, tendo como princípio o convento autossuficiente, dispensando recursos externos.

São Francisco de Assis [Giovanni Francesco Bernardone] (1182-1226): Nascido em Assis, na Itália, em família abastada, voltou-se para uma vida religiosa de completa pobreza, fundando a ordem mendicante dos franciscanos. A proximidade com a natureza sempre foi sua qualidade mais conhecida. Via todas as criaturas como irmãos e irmãs.

Sartre, Jean-Paul (1905-1980): Filósofo e escritor francês, foi um dos principais representantes do existencialismo. Romancista, dramaturgo e crítico literário, Sartre conquistou o Prêmio Nobel de Literatura, em 1964, mas o recusou. *Crítica da razão dialética*, que sintetiza a filosofia política do autor, *O ser e o nada* e *O muro* são algumas de suas obras mundialmente conhecidas.

Sócrates (470-399 a.C.): Filósofo grego, não deixou obra escrita. Seus ensinamentos são conhecidos por fontes indiretas. Praticava filosofia pelo método dialético, propondo questões acerca de vários assuntos.

Spielberg, Steven (1946): Cineasta americano mundialmente conhecido, dirigiu filmes como *Tubarão*, *E.T.*, a série com o personagem *Indiana Jones*, *A lista de Schindler* e *O resgate do soldado Ryan*.

Terêncio (c. 185-159 a.C.): Escritor latino, na infância foi levado para Roma como escravo do senador Terêncio Lucano, que lhe proporcionou educação e, tempos depois, o libertou. Foi um dos autores mais estudados na Idade Média, e sua obra é composta por seis comédias.

Tolstói, Leon Nikoláievitch (1828-1910): Escritor e pensador religioso russo, nasceu em família abastada, mas no final da década de 1870 passou por uma crise espiritual, renunciando aos bens materiais e desprezando seus próprios livros. Voltou a escrever mais tarde, pregando que a salvação humana é obtida por meio do serviço ao próximo.

Tomás de Aquino (1225-1274): Frade italiano da ordem dominicana, foi um dos mais importantes pensadores da era medieval e influenciou a teologia e a filosofia modernas. Em suas sínteses teológicas, discute o cristianismo com base na filosofia clássica greco-latina, unindo fé e razão.

Varella, Drauzio (1943): Médico cancerologista formado pela Universidade de São Paulo (USP), lecionou em várias universidades e dirigiu por muitos anos o serviço de imunologia do Hospital do Câncer de São Paulo. É conhecido por importantes campanhas públicas de prevenção de doenças, como a Aids, e também por seu trabalho em penitenciárias.

Yourcenar, Marguerite (1903-1987): Escritora francesa, começou a escrever ainda na juventude, publicando seu primeiro livro aos 17 anos. A obra que a tornou internacionalmente conhecida foi *Memórias de Adriano*, publicada em 1951. Entre seus outros livros de ficção e ensaio, podem-se mencionar *A obra em negro, O labirinto do mundo, Mishima ou A visão do vazio* e *O tempo, esse grande escultor.*

Zaratustra: Também conhecido como Zoroastro, foi um profeta e poeta nascido na Pérsia (atual Irã), provavelmente em meados do século VII a.C. Fundou o zoroastrismo, uma das religiões mais antigas e duradouras da humanidade. Propunha que o homem encontrasse o seu lugar no planeta de forma harmoniosa, buscando o equilíbrio com o meio natural e social, sob o risco de punição futura diante de má conduta. Teria morrido assassinado aos 77 anos.